神约言的通道——
约瑟

神约言的通道——
约瑟

李载禄牧师圣经人物系列三

神差我在你们以先来,
为要给你们存留余种在地上,
又要大施拯救,保全你们的生命。
这样看来,差我到这里来的不是你们,乃是神。
他又使我如法老的父,作他全家的主,并埃及全地的宰相。

创世记45章7、8节

自序

神约言的通道，
怀梦的约瑟……

距今约四千年前，有一位从人生最低谷一跃登上埃及宰相之高位、救国救民于席卷整个近东地区七年大饥荒之中的伟人；神耕作人类的典型成果、以色列民族形成之奠基者，他就是约瑟。

约瑟是信心之父亚伯拉罕的曾孙。亚伯拉罕的儿子以撒生了雅各，雅各从四名妻妾生了十二个儿子，约瑟排行第十一。以"雅各的记略如下"为开篇，创世记37章2节以下记述着围绕十七岁少年约瑟所发生的一系列事件，包括约瑟的行为表现和哥哥们对他的态度，以及约瑟所作的两个非同寻常的异梦，并由此生发的矛盾冲突。

约瑟所作异梦是这样的：头一次是约瑟同哥哥们在田里捆禾稼，约瑟的捆起来站着，哥哥们的捆来围着他的捆下拜；第二次是梦见太阳、月亮与十一个星向他下拜。这是神给的梦，预示约瑟将来得居尊位，连父母和兄弟们都要尊他为上。

那么，以色列人的始祖雅各的记略中为何浓墨重彩地陈述这些内容？因为约瑟的生平关乎成就神与亚伯拉罕、以撒和雅各所立之圣约的重要一环和必经渠道。

"……他（耶和华）记念他的约，直到永远，
他所吩咐的话，直到千代，
就是与亚伯拉罕所立的约，向以撒所起的誓。
他又将这约向雅各定为律例，向以色列定为永远的约……
他命饥荒降在那地上，将所倚靠的粮食全行断绝，
在他们以先打发一个人去，约瑟被卖为奴仆。
人用脚镣伤他的脚，他被铁链捆拘。
耶和华的话试炼他，直等到他所说的应验了……"（诗篇105篇）

约瑟的遭际让人看来似乎异常不幸：被哥哥们卖至埃及为奴，又遭诬陷坐冤狱。然而这一切尽在神的计划和旨意中，旨在立约瑟作埃及之宰相，为以色列民族的形成打下基础。

约瑟因为怀揣神赐的异象，所以不论遭遇何种逆境，他都不灰心不丧志。约瑟凡事诚实为人，正直行事，谨遵正道，神就使他所作的事尽都顺利，博得众人的喜爱与称颂。约瑟最终在神的引导下，登上埃及宰相的高位。

到了时候，约瑟的哥哥们向他下拜，形式上是他们因求粮而向埃及宰相下拜，实为约瑟从前所作的异梦在他们身上的应验。约瑟心中对卖他为奴的兄弟们毫无怨恨。反而发挥极尽善的智慧，引导哥哥们作成诚心的悔改，拆毁与神隔断的罪墙，成为以色列十二支派的基石。这是超越宽恕众人的水准，而引众人得生的至深仁爱之境界（创世记45章5节）。

神造人类于这地上，历经漫长的岁月对人类进行耕作，乃旨在获得真正的儿女，与祂永享爱与被爱的幸福。神拣选以色列民族作为展现耕作人类之圣工的典型。满有慈爱的神，拣选亚伯拉罕作信心之父，藉由他孙子雅各的十二个儿子，奠定了以色列民族成形的基础。

　　在此过程中，神通过约瑟将雅各的家眷七十人领进埃及，使他们脱离周围种族的威胁，得以在四百三十年间得到迅猛的发展而成为大族。约瑟就这样成为神成就祂宏大旨意的通道。

　　约瑟在埃及的遭际似乎每况愈下，越发走向低谷，然而这是神所允准、旨在造就大器皿的熬炼，是他蒙神赐福的最佳捷径。在任何境遇中，约瑟都是一心仰望神善美的旨意，并且坚信神所赐的异梦必然成就在他身上。

　　但愿广大读者通过约瑟的生平事迹，学会凡事亨通的诀窍、为人处世的智慧，成为神所重用的器皿，使神向这末时所定的旨意能够成就在大家身上。将一切感谢与荣耀归与我们在天的父神，因祂从始至终对文字事工给予细致周全的引导。同时向为本书的出版付出辛劳的编辑局长宾锦善以及乌陵出版社诸位同工深表感谢。

2016年10月，于客西马尼祷告处

李载禄 牧师

埃及宰相约瑟的家系图

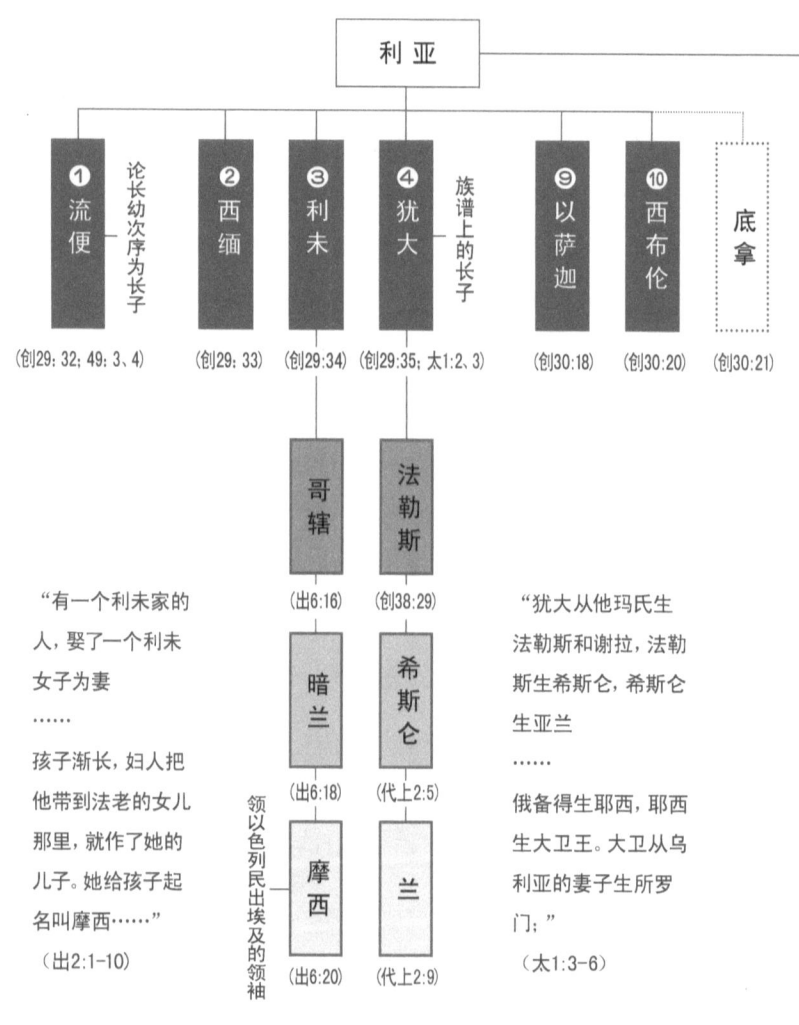

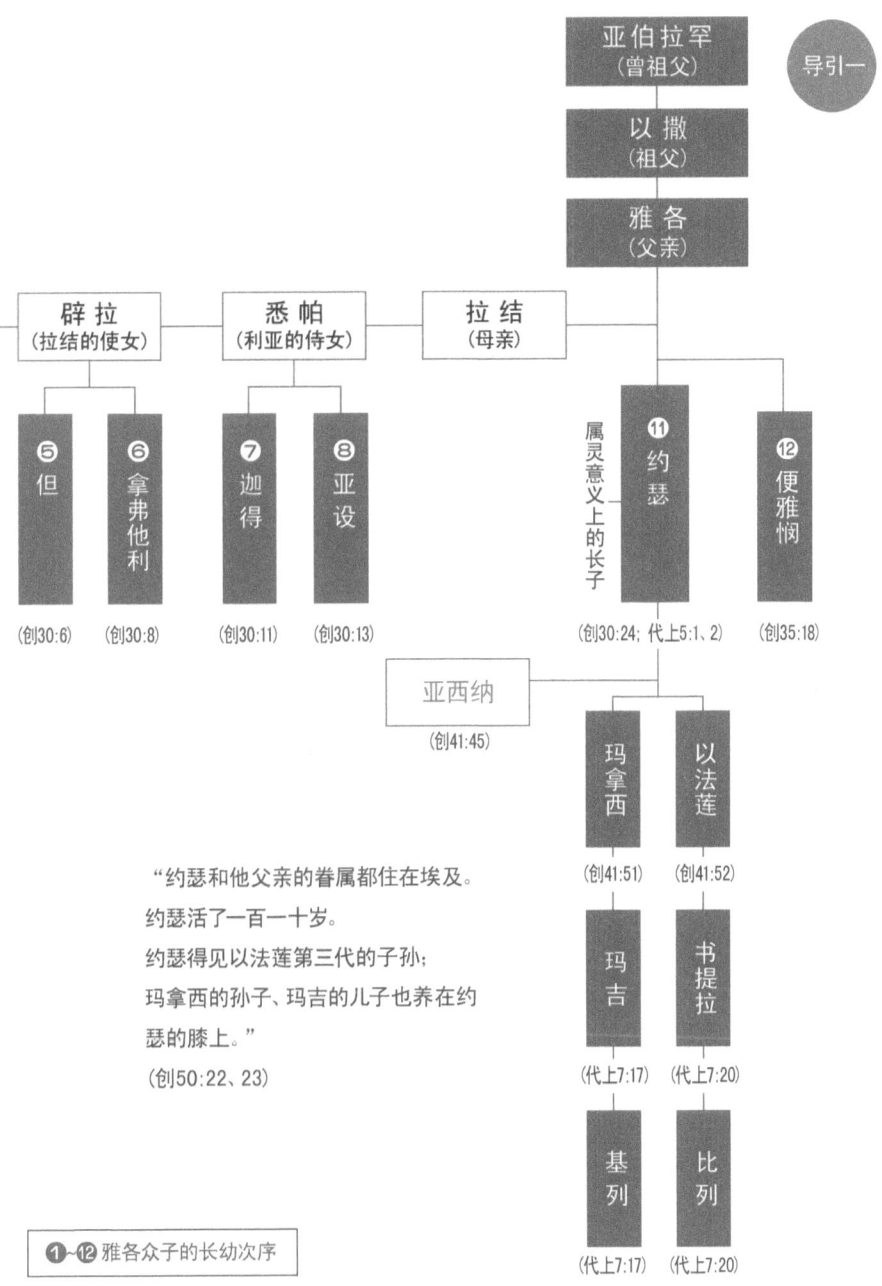

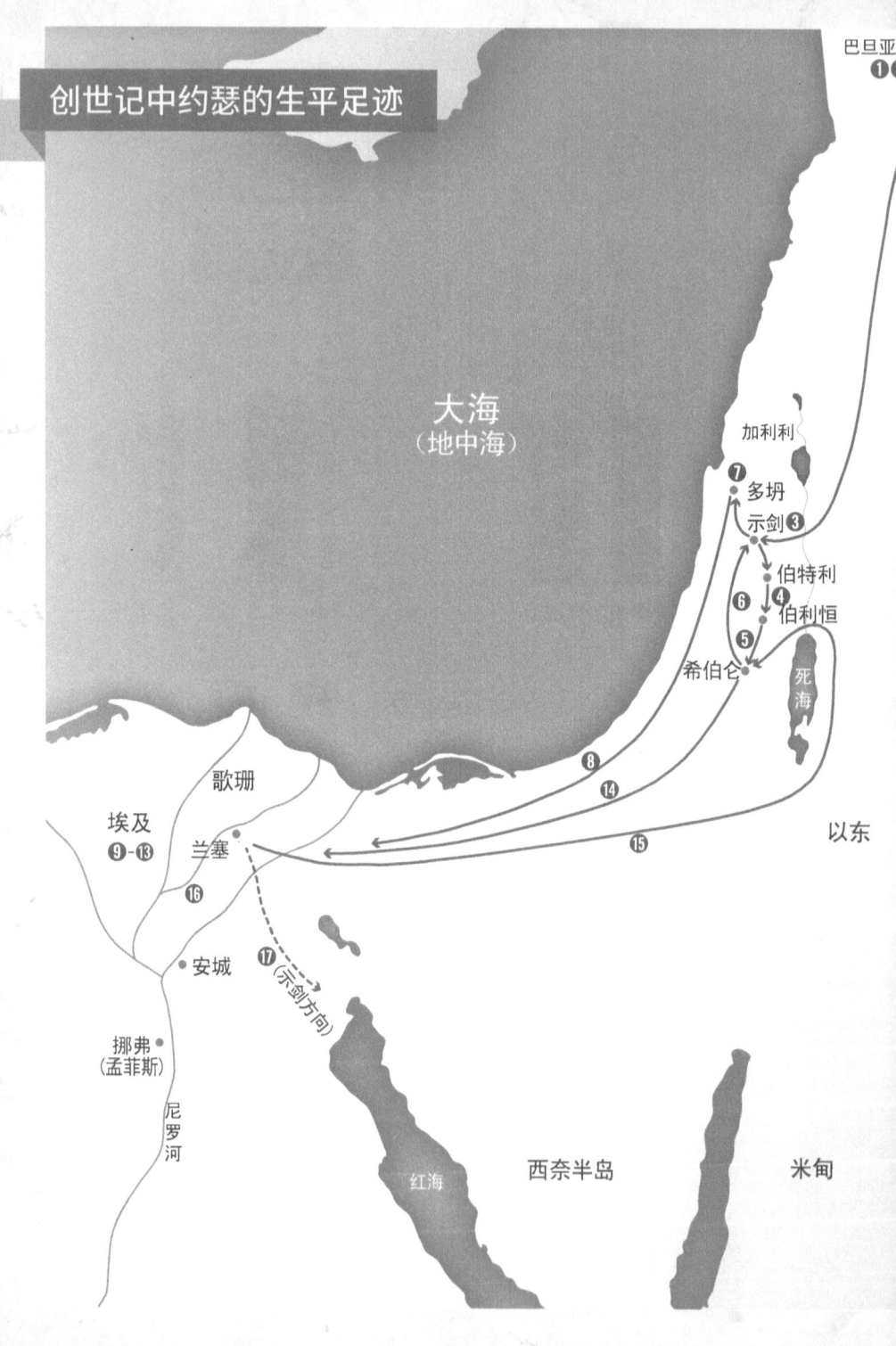

〈初生至十七岁〉

❶ 生于巴旦亚兰，为雅各的第十一个儿子（创30:24）

❷ 约瑟出生后，雅各与拉班立约，成为大富户（创30:25-31:1）

❸ 随家眷渡雅博河，定居迦南示剑（创33章）

❹ 因底拿事件离开示剑，经过伯特利举家前往希伯伦的途中，母亲拉结生便雅悯，因难产丧命，葬于伯利恒（创35:19）

❺ 同父亲雅各到希伯伦，拜见祖父以撒（创35:27）

❻ 遵照父命前往示剑找哥哥们（创37:14）

❼ 经天使的指引到了多坍遇见哥哥们（创37:17）

❽ 被哥哥们卖给米甸商人带到埃及（创37:28）

〈十七岁被卖为奴至三十岁成为埃及宰相〉

❾ 被卖至法老的内臣，护卫长波提乏家中，作他一切家业的总管（创39:4）

❿ 受冤下到王的囚犯被囚的地方（创39:20）

⓫ 到埃及第十三年，为王解梦被立为宰相（创41章）

〈当埃及宰相至一百一十岁寿终〉

⓬ 身为宰相巡行埃及地，应对七个丰年和七个荒年（创41:46-48）

⓭ 第二个荒年与兄弟们相会，用善的智慧领他们悔改（创42-45章）

⓮ 将雅各和其家眷安置在埃及歌珊地（创46-49章）

⓯ 隆重葬父，归葬于迦南的希伯伦（创50:7-13）

⓰ 享年一百一十岁，葬于埃及（创50章）

⓱ 摩西照约瑟的遗嘱，在出离埃及时将约瑟的骸骨带去（创50:25；出13:19）

目 录

自序·VII

导引· 1. 埃及宰相约瑟的家系图·X

2. 创世记中约瑟的生平足迹·XII

第一部
希伯来少年约瑟，三十岁当埃及宰相

第一章 我怎能作这大恶，得罪神呢？·3

1. 约瑟被卖给埃及王内臣护卫长波提乏（39章1-3节）
2. 得波提乏信任作家业总管（39章4-6节）
3. 拒绝波提乏之妻的引诱（39章7-10节）
4. 波提乏的妻子诬告约瑟（39章11-18节）
5. 在神的旨意下坐冤狱（39章19-23节）

   拓展分享一 亚伯拉罕的神，以撒的神，雅各的神

第二章 给酒政和膳长解梦·25

1. 约瑟在牢里伺候埃及王的酒政和膳长（40章1-4节）
2. 为所做之梦烦恼的法老的二臣（40章5-8节）
3. 约瑟给法老的二臣解梦（40章9-19节）
4. 酒政忘却约瑟的请求（40章20-23节）

   拓展分享二 古代近东的中心埃及介绍

第三章 希伯来奴仆约瑟,成为埃及的宰相 · 37

1. 埃及王所作的异梦(41章1-8节)
2. 酒政举荐约瑟与法老(41章9-13节)
3. 埃及王召见约瑟为他解梦(41章14-31节)
4. 为法老解梦并提示应对之策(41章32-36节)
5. 有神的灵在里头的人,我派你治理埃及全地(41章37-45节)
6. 约瑟当上埃及宰相,预备将来的七个荒年(41章46-57节)

第二部

约瑟以善的智慧,救以色列和埃及于大饥荒之中

第四章 证验你们的话真不真 · 57

1. 雅各的十个儿子到埃及买粮(42章1-5节)
2. 你们是奸细,来窥探这地的虚实(42章6-11节)
3. 约瑟扣押哥哥们三日在监(42章12-17节)
4. 你们如果是诚实人,把你们的小兄弟带到我这里来(42章18-25节)
5. 雅各哀叹连便雅悯也难保(42章26-38节)

第五章 带着便雅悯重返埃及 · 71

1. 犹大说服雅各容他带去便雅悯(43章1-10节)
2. 约瑟的哥哥们带便雅悯到埃及(43章11-15节)
3. 被请到埃及宰相府中担惊受怕的兄弟们(43章16-24节)
4. 约瑟见到便雅悯,情不自禁而哭(43章25-31节)
5. 谨遵规矩和道义的约瑟(43章32-34节)

拓展分享三 饶恕的阶段

第六章 **约瑟善的智慧改变哥哥们**·89

    1. 将我的银杯和银子，一同装在他的口袋里（44章1-13节）

    2. 约瑟试验兄弟之间的友爱（44章14-17节）

    3. 犹大为救便雅悯而央求（44章18-34节）

第七章 **我是你们的兄弟约瑟，要赶紧地将我父亲搬到我这里来**·97

    1. 不要因为把我卖到这里自忧自恨（45章1-5节）

    2. 神使我作埃及全地的宰相（45章6-15节）

    3. 把你们的孩子和妻子，并你们的父亲都搬来（45章16-20节）

    4. 以色列说：趁我未死以先，我要去见他一面（45章21-28节）

第三部

埃及宰相约瑟，神约言的通道

第八章 **雅各和其家眷迁居歌珊地**·113

    1. 我必使你在那里成为大族（46章1-7节）

    2. 在神的旨意下迁居埃及的雅各家族（46章8-27节）

    3. 等法老召你们的时候，问你们说：你们以何事为业？（46章28-34节）

    拓展分享四 向亚伯拉罕、以撒、雅各所应许之美地迦南

第九章 约瑟属天的智慧和埃及全地饥荒的对应之策 · 129
  1. 对法老设身处地体贴入微（47章1-6节）
  2. 约瑟智获兰塞境内的地作为父家产业（47章7-12节）
  3. 应对甚重饥荒的宰相约瑟（47章13-19节）
  4. 革新埃及的土地政策（47章20-26节）
  5. 起誓照雅各所愿葬之于列祖坟茔（47章27-31节）

第十章 约瑟的两个儿子玛拿西和以法莲 · 143
  1. 约瑟去见临终的雅各（48章1-7节）
  2. 雅各为约瑟的两个儿子祝福（48章8-16节）
  3. 雅各立以法莲在玛拿西以上（48章17-20节）
  4. 雅各赐遗产给约瑟多于他的众兄弟（48章21、22节）

第十一章 以色列的先祖雅各的遗言与辞世 · 157
  1. 雅各临终招聚众子（49章1、2节）
  2. 因罪过而丧失长子地位的流便（49章3-4节）
  3. 因既往之恶行而遭报应的西缅和利未（49章5-7节）
  4. 预言弥赛亚将出于犹大支派（49章8-12节）
  5. 雅各对西布伦、以萨迦、但的遗言（49章13-18节）
  6. 雅各对迦得、亚设、拿弗他利的遗言（49章19-21节）
  7. 雅各对约瑟和便雅悯的遗言（49章22-28节）
  8. 雅各嘱托众子把他归葬迦南地（49章29-33节）
   拓展分享五 以色列在埃及成为大族

第十二章 **雅各的葬礼与约瑟的寿终**·177

    1. 约瑟预备雅各的葬礼（50章1-3节）

    2. 求你让我上迦南地去葬我父亲（50章4-6节）

    3. 隆重的葬礼显神的荣耀（50章7-14节）

    4. 不要害怕，我岂能代替神呢（50章15-21节）

    5. 你们要把我的骸骨从这里搬上去（50章22-26节）

    拓展分享六 埃及人与希伯来人的葬礼制度

结语： 1. 成就神约言的通道——约瑟·194

    2. 神的"火把之约"和预言的应验·196

    3. 赐迦南地为业的应许和预言的实现·200

父，我心爱的父！

您补足了我的欠缺，更新了我的心意，

厚赐与我上好的福分，

我信实的父。

炼除我的稚拙，恩赐属天的智慧，

使我胜过每一个难关，

何时静默，何时发言，懂得分寸，

赐我一双看透人心的慧眼，

随处得到众人欢心，

父的恩福满我一生，

父，我心爱的父。

与我常伴抚慰我心，赐我恒久忍耐的力量，

使我得见今日的尊荣，

我心爱的父。

第一部

希伯来少年约瑟，三十岁当埃及宰相

/ 第一部 /

经过熬炼,才能成为合乎神用的器皿。
熬炼是神无微不至之爱的体现。

旨在造就大器皿的熬炼,
非因有罪墙或恶性,
在熬炼中可以经历到神随时的同在和带领。

十七岁的希伯来少年,
三十岁成为治理埃及全地的宰相,
也是因为经过熬炼,成为合用的器皿。

Joseph

第一章

我怎能作这大恶，
　　得罪神呢？

约瑟被卖给埃及王内臣护卫长波提乏

得波提乏信任作家业总管

拒绝波提乏之妻的引诱

波提乏的妻子诬告约瑟

在神的旨意下坐冤狱

1.约瑟被卖给埃及王内臣护卫长波提乏

> 约瑟被带下埃及去。有一个埃及人,是法老的内臣,护卫长波提乏,从那些带下他来的以实玛利人手下买了他去。约瑟住在他主人埃及人的家中,耶和华与他同在,他就百事顺利。他主人见耶和华与他同在,又见耶和华使他手里所办的尽都顺利。(创世记39章1-3节)

以色列人的先祖雅各从四名妻妾生了十二个儿子。雅各分外疼爱顾惜他年老所得的儿子约瑟。单为他作彩衣穿,使他不离自己左右,用神的道教导他。究其原因,一是约瑟乃他爱妻拉结所生,二是约瑟从小善良乖顺,聪明睿智。

约瑟的哥哥们见父亲爱约瑟过于他们,便心生嫉妒。而约瑟也无意中经常惹动哥哥们的怨怒,就是经常把哥哥们的恶行报给他们的父亲(创世记37章2节)。其实约瑟并非有意要告哥哥们的状,只是想让父亲知道哥哥们的恶行,好去教训他们改过自新。

约瑟若是设身处地为哥哥们着想，寻求"如何在和睦之中给予提醒"，必会得赐更为和善的智慧之策，使哥哥们醒悟自己的恶行。而此时约瑟尚还不知顾念哥哥们的感受，专凭自义行事。

后来约瑟作了两个异梦：一是他在田里捆禾稼时，哥哥们的捆来围着他的捆下拜；一是梦见太阳、月亮与十一个星向他下拜（创世记37章6-9节）。

这两个梦显然是在预示约瑟将来要成为尊贵的人，连父母和兄弟们也要向他俯身致敬。这是神给的梦。神使约瑟作这些梦，旨意何在？正是预表将要通过约瑟来成就祂宏大的旨意，即成就与亚伯拉罕、以撒、雅各所立的圣约。

后来约瑟直至神的旨意成就，经历了被卖至埃及为奴，遭人诬告坐冤狱等许多试炼。而他时常记念神所赐的异梦，怀着感恩的心，胜过一切的试炼。

十七岁少年约瑟，向哥哥和父亲夸口神给他的异梦。哥哥们听着不耐烦，感觉这是对他们的藐视。当时约瑟尚存炫示自己的心态，又不懂得顾念别人的感受，贸然夸言所作的梦，使哥哥们越发由嫉生恨。哥哥们的怨怒日渐加增，约瑟终被哥哥们卖到米甸商人手中，沦为家奴（创世记37章28节）。

在父亲的宠爱中成长的约瑟，转眼间跌入人生最低谷。而这是神所许可的旨在赐福的熬炼，使约瑟借以破除自义和成见，成为新造的人。这是他进入至善境界的一条捷径。

约瑟被米甸商人带到埃及,转手卖给法老的内臣,护卫长波提乏,成为其家奴(创世记37章36节)。约瑟此时的心情,是悲观绝望万念俱灰,还是抱屈含冤怨天尤人,亦或想方设法摆脱困境?皆非如此。

约瑟默然接受这一现实,潜心反思自己遭难的原因,察验自己的不足和欠缺。经历哥哥们卖他为奴,醒悟到哥哥们对他的怨恨之深以及自己的亏欠。"把哥哥们的恶行报给父亲,又向哥哥们炫耀自己的异梦,殊不知这会给哥哥们带来多大的伤害!自以为行得好,无形中却伤了哥哥们的心。"——约瑟深刻醒悟到自己的过错,向神痛心懊悔。

约瑟知道自己所面临的困境,非靠人力所能解决。他清楚知道,父亲雅各在雅博渡口如何破除自义,如何与伯父以扫和好。他懂得人的生死祸福乃在乎神,深信惟有神才能化解他眼前这一难处,于是专心信靠神,将一切向神交托仰赖。

约瑟之所以能够专心仰望神,是因为相信神的同在和保守。虽然自义依然尚存,但他一直努力听从神的话,遵行神的旨意。他确信:当下虽为奴仆,但神必时刻保守并引领他。于是,约瑟专心信靠他的神,坦然应对现实的苦难。

约瑟从小照父亲的训诲,遵行神的话。神熬炼约瑟,不是因他有什么大恶。他从小顺着父亲的教导,谨守遵行神的旨意。尽管如此，神仍要熬炼他，是要使他破除自义而成为能够成就神旨意的大器皿。

一个人若是因罪而受报应，或是因心中有大恶而招致试炼，神必向他掩面。其根深蒂固的恶性，必须经过一个人独自承受那苦炼，才得以除去，以获全新的改变。受熬炼的过程自然也就十分艰难了。

心里有很多恶的人，在熬炼中内心的恶也会发出来，从而招来更大的患难和痛苦。然而，约瑟心中毫无邪恶，所以在熬炼中未曾出现一丝恶念或一句怨言。专以感恩为念，谦卑忍受所面对的一切。他自始至终恒心敬畏神，力行神的道，神就与他同在，使他所作的尽都顺利。

约瑟被卖到埃及波提乏家中，很快就得到波提乏的赏识。因为约瑟的诚实能干，深得波提乏的信任。波提乏十分器重约瑟，便叫约瑟在身边伺候。当然约瑟得主人的欢心，乃在乎神的恩典；蒙主人器重，也是因神感动他主人的心所致。"约瑟住在他主人埃及人的家中"，表明约瑟的住处挨近主人。

仆婢的住处通常与主人分开，而约瑟住在他主人的家中，说明他深受主人的信赖。蒙神爱的人，必有相应的显证，就是出入亨通，百事顺利，使周围的人也能明显感觉到神与之同在，正如经上所说"他主人见耶和华与他同在，又见耶和华使他手里所办的尽都顺利"。

那么，从来不认识神，并不侍奉神的埃及人波提乏，怎能见神与约瑟同在呢？表明约瑟平时经常给主人见证自己所信奉的神、全知全能的上帝。

每逢得主人赞赏时，约瑟就将荣耀归给他的神，且表明自己的德行修为，乃是出于神的教训；所作的凡事顺利、亨通乃因神随时的恩助。起初波提乏或许不太留心这些话，但看约瑟手中所办的事无不亨通，不得不承认这是神的恩助。

约瑟蒙神同在，百事顺利，另一方面也是归因于约瑟作事诚实殷勤，服侍体贴入微，所作尽合主人的心意，博得主人的信任。

2.得波提乏信任作家业总管

> 约瑟就在主人眼前蒙恩，伺候他主人，并且主人派他管理家务，把一切所有的都交在他手里。自从主人派约瑟管理家务和他一切所有的，耶和华就因约瑟的缘故赐福与那埃及人的家；凡家里和田间一切所有的都蒙耶和华赐福。波提乏将一切所有的都交在约瑟的手中，除了自己所吃的饭，别的事一概不知。（创世记39章4-6节）

约瑟不因自己沦为奴仆而悲观沮丧，反而尽心竭诚服侍他的主人。"约瑟就在主人眼前蒙恩"，说明约瑟倾以至诚服侍他的主人。约瑟若是眷念以往在父亲雅各身边受宠蒙爱的幸福生活而哀叹当下的处境，定会心灰意冷，抱屈怀怨。作什么事都觉得苦累，勉强为之。而约瑟却恰恰相反。他感激波提乏的收留之恩，并以报恩的心诚然服侍自己的主人。

这里可以看出雅各和约瑟心性的巨大差异。因着夺取以扫的长子福分而被迫投靠母舅拉班的日子里，雅各并无感恩之心。他对母舅用诡诈的手段屡次改他的工价深感不满，耿耿于怀。雅各当时若是稍微往善处想，就会感念母舅对他的恩：在他走投无路的时候，是母舅收留了他，又把自己的两个女儿嫁给他成家立业。雅各若是懂得记念拉班对他的恩，就用不着受那么长时间的熬炼了。

有的人遇到困窘，就回想过去的好景，相比之下哀伤绝望。非但不知感恩，反而抱怨现实的处境，灰心气馁，甚至自暴自弃。以此可以看出此等人的器皿既狭小又缺少善心。

而善人与之不同，无论处在何种艰难的逆境中，也能诚然向神谢恩："从前我处丰富，乃是因着神的厚恩。"心中没有半点不平，反而领悟从前所享福分之宝贵，由衷感谢神恩。

约瑟本着善美的品性，感恩面对现实，更因自己往日的好景，向神谢恩。起初被卖到波提乏家中时，对主人的忠心和服侍，不因岁月的更替而改变，反而历久弥深。

人们往往有了成就之后，就慢慢失去起初的热心。而约瑟始终保持他的谦卑、正直和诚实。从而博得主人的信任，成为管理主人一切家务和产业的大管家。

约瑟得到波提乏的器重，乃因着神的恩，但也要归因于波提乏从他身上看到了正直、诚信和忠贞的品性。强盛之国埃及法老的内臣，护卫长家里的管家，其权势非同小可。虽是家奴的身份，但约瑟在波提乏家里的地位可是仅次于他主人。

我们不能在某种领域觉得有所成就，就轻忽职守，或敷衍塞责。随着地位的升高，我们更要开阔心量，顾念更多的人事，担当更多的责任。即便为人尊长，受众人的服侍，也不能心安理得，更不能辜负恩待自己的上司（以弗所书6章5-8节）。无论对何人，我们只要像服侍主一样去服侍，必像约瑟那样，所到之处得人的赞赏和喜爱（歌罗西书3章22-23节）。

自从波提乏将一切家务产业全权委托约瑟管理起，神就赐福与波提乏的家。波提乏虽不是敬畏神的人，却蒙神赐福，单纯是因有幸认识约瑟的缘故吗？

其实这也是按着神的公义所成的。波提乏看约瑟凡事亨通，承认神与约瑟同在，并意识到自己所得的福分来自与约瑟同在的神。这就是神看为善的部分。

假如波提乏不承认有神，也不承认福由神来，那么神就不会赐福与波提乏，使他家业兴旺，而只有约瑟领受应得的祝福罢了。

例如，一个家庭有极其爱神并得神喜悦的人，整个家庭就有可能因他而得福，但前提是其他家庭成员也必须为自己预备蒙福的器皿。家人若是不够蒙福的条件，神就只好单单赐福与那爱神的人。

波提乏信赖约瑟，甚至将一切家务和产业全权交给他管理，除了自己的饭食以外，别的事一概不知。可见约瑟蒙神的爱和保障是显而易见的。身为埃及法老的护卫长，波提乏的家产规模一定不小。他若是对约瑟尚有半点存疑，势必一一过问约瑟所办的事。但波提乏因通过约瑟所蒙的福分巨大，给予约瑟的则是绝对的信任。

约瑟经过熬炼已完全除去自我，不像从前那样自义为先，或张扬自己。不因受人器重而自高自大，忘乎所以，而以不变的心志，忠心服侍自己的主人，凡事体贴主人的心意而行。因有这等忠信的仆人，波提乏怎能不备感庆幸和欣慰。

约瑟给主人和他家里所有的人带来了福气。约瑟被放在为人之奴这最为卑微的境地中受熬炼，得以迅速除去那张扬的个性和自以为义的观念，逐渐具备能以胜任大国之宰相的丰厚资质。

在护卫长家里作管家的经历，使约瑟慢慢具备了能够经营埃及这一大国的资历与眼光。在复杂多样的人事经历中，掌握了用人和治人之方略；具备了参透人心意的能力并待人处世之道。

3.拒绝波提乏之妻的引诱

> 这事以后，约瑟主人的妻，以目送情给约瑟，说："你与我同寝吧！"约瑟不从，对他主人的妻说："看哪，一切家务，我主人都不知道，他把所有的都交在我手里。在这家里没有比我大的，并且他没有留下一样不交给我，只留下了你，因为你是他的妻子。我怎能作这大恶，得罪神呢？"后来她天

天和约瑟说,约瑟却不听从她,不与她同寝,也不和她在一处。(创世记39章7-10节)

约瑟在波提乏的家中积累了该掌握的一切,神就将他放在另一种环境里,使他接受进一步的操练。神要使约瑟具备将来为埃及宰相所必备的才识与阅历。为此,按理说约瑟应该被领入埃及王宫,置身于政治权力中心,在实践中接受历练。但一个人从奴隶的身份,一蹴而就,进入宫廷作埃及王的臣子,显然是不合公义的。神做事绝不破坏公义和次序。

比方说,一个少年虽然信心很大,拥有"成为总统"的梦想,诚实地向神祈求。神也不会即刻赐下应允。当然,神会因着他的诚实和信,一步步引导他、带领他学习掌握丰富的知识,具备相应的才能。直至得备总统当有的资质后,才会成全他的梦想。他必须经过坚持不懈追逐梦想发奋努力的过程,梦想方可成真。

同样,神并没有使约瑟一举成为埃及宰相,而使他经历必要的过程。这一过程,在人看来是坎坷,凶险,但一切尽都出于神的计划,实为约瑟走向成功的最快捷径。约瑟受波提乏妻子的诬陷,转入另一条不寻常的道路。

但波提乏的妻子行这事,并非神所驱使。就像出埃及时代埃及法老顺着顽恶的心,充当敌对摩西的角色一样,波提乏的妻子也顺着满心的情欲,充当引诱并陷害约瑟的角色,自行作出了罪恶的选择。

约瑟容貌秀雅俊美,波提乏的妻子深深贪恋约瑟,屡屡向他调情引诱,甚至要求他与自己同寝。而约瑟断然拒绝她说:"我怎能作这大恶,得罪神呢?"

妇人不肯罢休,天天这样挑逗约瑟。约瑟向来敬畏神,在他毫无犯罪的欲念。他念念不忘主人波提乏对他给予的完全信任,立为全业总管的大恩。

约瑟若是背着主人与之偷情,便是忘恩负义。就是在道义层面上,约瑟也不可能行这样的恶。他不为那女人的诱惑所动,为了不留任何余地,避免和她在一处。

这一表现显出他丝毫没有非分之念。而有的人面对引诱,嘴上说"不",内心却情愿被勾引,能避之而不避,以至犯罪以后,反而推责对方,或狡辩"身不由己"。

神察看人的肺腑心肠。在神面前,任何堂而皇之的借口、理由,或推卸责任,归咎他人的托词、辩解都是苍白无力的。我们应当坦承自己的心态意念。若没有犯罪的意欲,不论在任何境遇中,神都会给我们开出路。

面对约瑟的决绝,波提乏的妻子并无半点收敛,反而更加执拗地勾引约瑟。她心里若有一点良善,面对约瑟的高洁,定然感觉惭愧,回心转念。然而这个女人欲火填膺,恶念膨胀。

4.波提乏的妻子诬告约瑟

> 有一天,约瑟进屋里去办事,家中人没有一个在那屋里,妇人就拉住他的衣裳,说:"你与我同寝吧!"约瑟把衣裳丢在妇人手里,跑到外边去了。妇人看见约瑟把衣裳丢在她手里跑出去了,就叫了家里的人来,对他们说:"你们看!他带了一个希伯来人进入我们家里,要戏弄我们。他到我这里来,要与我同寝,我就大声喊叫。他听见我放声喊起来,就把衣裳丢在我这里,跑到外边去了。"妇人把约瑟的衣裳放在自己那里,等着他主人回家,就对他如此如此说:"你所带到我们这里的那希伯来仆人进来要戏弄我,我放声喊起来,他就把衣裳丢在我这里跑出去了。"(创世记39章11-18节)

这天,约瑟进主人屋里去办事,里面没有其他人,妇人趁机又勾引约瑟。神许可此事,是因知道约瑟无论在任何境遇中都不会犯罪,神使万事都互相效力,这个事件成了约瑟成为埃及宰相的必经之路。

波提乏的妻子更是拉住约瑟的衣裳,求他与自己同寝。屋内旁无一人,对她而言,这是难得的机会。当时约瑟的心情如何?是否想:旁边无人,就许她一次也无妨;情势所迫又是身不由己,岂能拒之!

而约瑟毫无这些念头,妇人拽住他衣服不放,约瑟就把衣裳丢在她手里，跑出那屋子。约瑟一定料到他这样做，会从主人的妻子遭受怎样的苦害。然而一个心无罪欲的人，不论何境都不会与不义妥协，作到"富贵不能淫，威武不能屈"。

波提乏的妻子恼羞成怒，趁势叫了家里的人来，诬陷约瑟说：那个希伯来仆人偷进屋里要戏弄我，要与我同寝，经我大声喊叫，他就慌忙丢掉衣裳逃走了。妇人把约瑟的衣裳放在自己那里，认为"有衣为证"，约瑟势必难逃猥亵他主人妻子的罪名。

波提乏回到府里，他的妻子就对他进谗言，说约瑟白天趁家里无人竟然调戏她，并给他看约瑟当时丢掉的衣服。

波提乏的妻子若有半点善心，哪怕出于羞愧，也会想暗暗地了结此事。而她因自己的情欲得不到满足而恼羞成怒，怀恨在心，定意要陷害约瑟。

约瑟要是心里有恶，可能会揭露那妇人的罪行，要为自己洗雪冤屈。然而约瑟顾念他的主人，遮掩那妇人之罪，希望她能够自觉悔悟自己的恶。而那妇人却愈加恶发，继续陷害约瑟。

5. 在神的旨意下坐冤狱

约瑟的主人听见他妻子对他所说的话说，你的仆人如此如此待我，他就生气，把约瑟下在监里，就是王的囚犯被囚的地方。于是约瑟在那里坐监。但耶和华与约瑟同在，向他施恩，使他在司狱的眼前蒙恩。司狱就把监里所有的囚犯都交在约瑟的手下,他们在那里所办的事都是经他的手。凡在约瑟手下的事,司狱一概不察,因为耶和华与约瑟同在,耶和华使他所作的尽都顺利。(创世记39章19-23节)

波提乏听见妻子的谗言,就很生气,不顾事实真相如何,也不给约瑟解释的机会,就把约瑟下在王的囚犯被囚的地方。想到自己所信赖且给予厚恩的约瑟竟然背叛自己,波提乏更是难抑心中的愤怒。约瑟被下在重犯所囚的监狱,而不是普通监狱。关在那里的大都是涉嫌叛国逆君之罪的朝廷重犯。

像这样,属世的爱和善,都是有偿的,既然付出就想要得到回报,一旦不合自己的利益,就变质,消退,甚者反目成仇。波提乏虽可算是有善之人,但他的善也不过是属世的善。

面对巨大的伤害,约瑟既不诉冤,也不辩解。他因着信,宁可蒙上忘恩负义的污名,也不肯去揭露那妇人的罪恶以证明自己的清白。而将一切交于神的手中,极力寻求神通过这场熬炼在他身上所要成就的美意。

约瑟经过被卖为奴,蒙冤入狱这一过程,学会了恒久忍耐,并具备凡事向善处着想,以感恩为念的豁达心量。

从波提乏家业的总管,陡然被下冤狱,这是常人所难以承受的巨大试炼。似乎前功尽废,前景一片灰暗。然而这是约瑟预备作宰相的资质与才能的最佳机遇,又是能够直通于埃及君王的最快捷径。

　　神之所以用这种方式熬炼约瑟，是因为信任约瑟。人是最容易受环境影响的，出身背景，生长环境，教育条件，都对人格的形成产生重要的影响。约瑟若是在监牢里受负面的影响，神必不会采取这种熬炼方式。

　　约瑟在狱中，从侧面了解到宫廷官场上的权谋捭阖、尔虞我诈、阳奉阴违，但毫不为之所染。反而借以开阔眼界，得以深谙世故，并获取辨别人心的能力。约瑟此时已除净了心中的恶，因而肉体的情欲，眼目的情欲，今生的骄傲便无机可乘。

　　我们只要自洁成圣，使真理成形在心里，即使置身于罪恶的环境中，也会一尘不染。约瑟在神面前持定了纯正的信仰，即使在暗处也不曾得罪神，不论顺境还是逆境，恒心向神谢恩。约瑟住在光明中，神与他同在，使他常享神丰富的恩慈。

　　诚如箴言16章7节所说"人所行的，若蒙耶和华喜悦，耶和华也使他的仇敌与他和好"，约瑟得神的喜悦，神使他在司狱眼前蒙恩。"司狱"相当于今天的监狱长。

　　从小受神道圣训之熏陶的约瑟，为人正直，品行端正，无可指摘。加上从波提乏家里所积累的经验和阅历，更使他言谈和谐得体，待人体贴关照，事事处处得人喜爱。加上处事精明，思虑周全，举一反三，智慧超群。司狱便把监里所有的囚犯都交于约瑟的手下管理。司狱对约瑟给予绝对的信任，凡在约瑟手下的事，一概不察。

约瑟通过被卖为奴的试炼，刻骨铭心地认识到自己被哥哥们所憎恨的原因。于是越是得人赞赏，地位升高，越发降卑己心，服侍别人。他的服侍不是表面上的，而是发自内心的谦卑。无论对上司，还是对下属或同僚，都以真诚待之。从而博得众人的喜爱和尊敬。

对埃及人而言，约瑟是个外邦人，而且是一个从外头买来作奴仆的。这样一个人竟蒙主人器重，被立为主人全业的大管家，当地人岂能不嫉妒、提防和排斥！然而约瑟反受到众人的青睐和敬佩，就是在狱中也不例外。

约瑟若有半点高傲之心或可责之处，狱中囚犯们一定不肯听约瑟的话，且因他本是罪人却还管理他们而表示不服。但约瑟行事为人无可指摘，加上始终以谦卑之心服侍众人，在凡事上与人和善，从而有口皆碑，人人称赞。

神允准熬炼，必有祂的美意。当人领悟并顺服其中的旨意，努力更新自己的心意，活出让神满意的形像，便能胜过熬炼，满得神的安慰与祝福。

约瑟很快就通过了这场熬炼。他用心省察自己受熬炼的原因，并迅速打破自义和固定思维模式，变成了可以充分考虑别人立场和感受的温柔谦和之人。

作为领头的人，领导一个组织或群体，单靠权力是行不通的。要与不同性情的人打交道，还要应对难以预测的种种变数，为此必须要有设身处地，体贴人意，关怀照应，与人为善的智慧和美德，以及恒久忍耐的守望和胸怀。约瑟在短时间内具备了这一切资质。

  同时在囚王的囚犯的监牢里,丰富了见识阅历,包括宫廷礼仪和规矩;埃及国法和政局等。通过这场熬炼,约瑟灵肉资质得以齐备,更加完善了自己的器皿,合乎神用。

拓展分享一

亚伯拉罕的神，以撒的神，雅各的神

　　约瑟的曾祖父、享有信心之父美誉的亚伯拉罕，百岁生了以撒，享年一百七十五岁（创世记25章7、8节）。以撒六十岁生了雅各，共活了一百八十岁（创世记35章28、29节）。

　　约瑟十七岁被卖到埃及为奴，三十岁被立为埃及宰相，七个丰年过后，第二个荒年，得与兄弟们重逢。雅各时隔二十二年见到约瑟时，约瑟年三十九岁，雅各年一百三十岁。雅各其后在埃及又活了十七年，一百四十七岁寿终归天家。

　　雅各和以撒相差六十岁（创世记25章26节）。由此可知，当十七岁少年约瑟丧命恶兽之口的"噩耗"传于家中的时候，以撒还活在世上。

　　当父亲雅各和祖父以撒沉浸在悲哀之中的时候，约瑟正在人地生疏的异国埃及孤身谋生。面对接踵而至的巨大试炼，约瑟并没有灰心绝望。神赐予他的异象，以及从祖辈口中领受的圣训真道，成为他生命中唯一的倚靠和前进的动力。他熟知神是如何藉着亚伯拉罕，以撒和雅各成就祂宏大的旨意，从而能够在试炼中始终坚信神在他身上必有善美的旨意。

与曾祖父亚伯拉罕同在的神

创世纪12章记载，神吩咐亚伯兰（亚伯拉罕）说："你要离开本地、本族、父家，往我所要指示你的地去。我必叫你成为大国。我必赐福给你，叫你的名为大，你也要叫别人得福。……"这是神因着他丰富的慈爱，要将亚伯兰从充斥偶像崇拜的环境中分别为圣，同时旨在将来把他立为信心之父。

因他信那信实的神，不动用人的想法而作出了即刻的顺从。九十九岁从神领受新名亚伯拉罕（意为多国之父），在生育无望的百岁得了儿子以撒，又凭信通过了献独子以撒为燔祭的试验。从而集"万富之源"、"信心之父"、"神的朋友"等美誉于一身。

关乎神在曾祖父亚伯拉罕生命中的奇妙作为，约瑟从小耳熟能详，铭刻在心。在被卖为奴，蒙冤坐牢等接连而至的逆境中，约瑟时常记念曾祖父的信仰事迹，得以凭信胜过一切的试炼。

与祖父以撒同在的神

因饥荒发生，以撒移到基拉耳谷居住的时候，他把父亲亚伯拉罕在世所挖后来被非利士人填埋的水井，重新修复使用。基拉耳的牧人无理争竞说这水是他们的。以撒多次忍让，不与之相争（创世记26章17-22节）。

当时以撒选择忍让而不与基拉耳的牧人们理论或争竞，是因为受了他父亲亚伯拉罕信仰的影响。显然是对亚伯拉罕"你向左，我就向右；你向右，我就向左"（创世记13章）的信仰境界效法践行。

以善胜恶，顺利通过熬炼的以撒，终得与众人和睦，领受神"后裔繁多"的祝福（创世记26章23-25节）。约瑟从小经常听到祖父以撒蒙神赐福的故事，从而在遭人诬陷冤坐牢狱的时候，也能够凭信专心行善，仰望神的祝福，等候神的引导。

与父亲雅各同在的神

雅各欺哄哥哥以扫和父亲，夺了长子的名分，激怒哥哥对他起了杀意，被迫逃到异乡，经受二十年的熬炼。到了时候，按着神的指示，领着家眷返乡时，曾对他心怀杀意的哥哥以扫，领着四百人迎他而来。

雅各意识到靠自己的智谋难以化解这一危机，便在雅博渡口迫切仰赖神，直至大腿骨被扭。最终因着神的作工，得与哥哥以扫和解。当时约瑟虽然年幼，但他亲眼看到父亲雅各和伯父以扫彼此和解的场面。

　　约瑟在成长过程中，经常听到父亲仔细讲起此事，从中深悟一切尽在神的旨意中。因而在孤无所依的异国他乡，约瑟经常想起父亲、祖父和曾祖父一生的信仰，得以专心倚靠他列祖的神。

　　约瑟将从雅各、以撒和亚伯拉罕的生平事迹中悟出的属灵原则，运用到自己的生活实际，带着神通过两次异梦所赐于他的盼望，专心仰望神的指引和带领，努力充实自己的属灵生命。

第二章
给酒政和膳长解梦

在牢里伺候埃及王的酒政和膳长

为所做之梦烦恼的法老的二臣

约瑟给法老的二臣解梦

酒政忘却约瑟的请求

1.在牢里伺候埃及王的酒政和膳长

> 这事以后,埃及王的酒政和膳长得罪了他们的主埃及王,法老就恼怒酒政和膳长这二臣,把他们下在护卫长府内的监里,就是约瑟被囚的地方。护卫长把他们交给约瑟,约瑟便伺候他们;他们有些日子在监里。(创世记40章1-4节)

法老是古埃及国王的专称。法老被认为是神在地上的代理人和化身,拥有绝对的权利,其命令就是最高的法律。有一天法老的酒政和膳长得罪了法老,被下在护卫长波提乏府内的监里,正是约瑟被囚的地方。

这绝非偶然。神预知法老的二臣因得罪神而坐牢的时期,特定安排约瑟与之相遇。因为约瑟结识这二人乃是神的旨意。

而不可误解的是,他们二人下监牢是因有罪在身,非神使然。只是他们的入狱恰逢约瑟坐监的时候,这一切都在神的旨意当中。

神按着公义,并合着时宜和情境,安排和引领约瑟的生命历程。这样,神所心怀的旨意,既不违背公义,又分毫不差地成就。

波提乏把酒政和膳长交给约瑟去伺候。之所以决定把这一重任交给约瑟,乃因清楚知道约瑟的为人。因他清楚约瑟的忠信、智慧和贤能,并得过约瑟精诚体贴的服侍。

当初虽轻信妻子的谗言,一怒之下,不顾事实真相就把约瑟下在监里。但随着时光的流逝,心中复又生起对约瑟的爱惜之情。因为没有人能够像约瑟那样专诚服侍他。

正当此时,法老的二臣被关进他所管辖的监里,波提乏考虑到这二人可是举足轻重的人物,应好好伺候,时下虽仕途不顺锒铛入狱,而宦海沉浮无定,谁知会不会时来运转,复归原职。

波提乏料到能够给予这二人最满意服侍的,除了约瑟以外,再无他人。或许当时波提乏心里对约瑟还有些余恨,但这么重要的事,除了约瑟以外无人能当。仅凭这事,可知波提乏是一个公私分明的人,更能体现出约瑟被主人赏识的程度。

当然,感动波提乏的心,派约瑟伺候酒政和膳长的乃是神。然而人为神所用,并非出于勉强,乃是因心中良善的一面受到触动和激发所致。神不会驱使恶人去作善事,更不会激发善人去作恶事。

2. 为所做之梦烦恼的法老的二臣

被囚在监之埃及王的酒政和膳长,二人同夜各作一梦,各梦都有讲解。到了早晨,约瑟进到他们那里,见他们有愁闷的样子。他便问法老的二臣,就是与他同囚在他主人府里的,说:"你们今日为什么面带愁容呢?"他们对他说:"我们各人作了一梦,没有人能解。"约瑟说:"解梦不是出于神吗?请你们将梦告诉我。"(创世记40章5-8节)

后来神使酒政和膳长各作一梦,是关乎他们将来命运吉凶的预示。当然神不会任意给一个人吉梦或凶梦。酒政和膳长都因得罪法老而坐牢,然而这二人是善是恶,神都参透,并知道法老对这二人的打算:一个要杀头,一个要复职。

早晨,约瑟发现二人一脸愁闷,便问其缘由。这表明约瑟服侍毫不疏于形式,而是细致周到。"是否有不便之处,或有什么其他需求?"约瑟时常对他们察言观色,为要做到贴心的照顾和服侍,但这迥异于那种巴结讨好的心机。

酒政和膳长对于约瑟的真诚,也颇受感动,将所作的梦毫不隐瞒地讲给约瑟听。二人若不是十分信赖约瑟,绝不会这么轻易表露自己的隐忧。虽然交往时间不长,他们的关系已到了彼此交心的地步,二人早已看出约瑟诚实正直的品格。

这样,约瑟随事随处得人的赞赏和喜爱,按现在的说法就是"发出基督的馨香之气"。酒政和膳长若不信任约瑟,可能不屑地回绝:与你无关,不必多问。而他们却把所做的梦详实地告诉约瑟。

约瑟为他们解梦，并非靠自己的智慧。当二人忧烦无人能为之解梦时，约瑟就回应说："解梦不是出于神吗？请你们将梦告诉我。"他不说"我给你们解梦"，而是谦卑地说"解梦出于神"，表明神是全知全能的，能解一切的梦。约瑟就照着所赐的智慧和灵感，为他们二人解梦。

不论是自己作的梦还是别人的梦，在解梦的事上，我们当要持以谨慎的态度。不能凭着推论或臆测任意分解，以免脱离原旨，陷入误区。更不能存心往利于自己的方面解释或带着某种目的性加以强解。即或说中了一两次，也不可自诩，当寻求正确的解梦途径。先要分清出于神的梦、出于意念中的梦和出于撒但的梦。确定是出于神的梦，就当靠着圣灵所赐的感动去分解。

哥林多前书2章13节说"并且我们讲说这些事，不是用人智慧所指教的言语，乃是用圣灵所指教的言语，将属灵的话解释属灵的事（或作"将属灵的事讲与属灵的人"）。"当某种异象或异梦通过正确的途径获解的时候，我们就能获得心灵的畅快和愉悦。照样，我们解经的时候也当凭着圣灵的感动，领悟其中所蕴藏神的心怀意旨，解出其精意来（提摩太后书3章16节），使信众灵里的饥渴得以满足，领受圣灵更新心意的善工。

3.约瑟给法老的二臣解梦

> 酒政便将他的梦告诉约瑟说:"我梦见在我面前有一棵葡萄树,树上有三根枝子,好像发了芽、开了花,上头的葡萄都成熟了。法老的杯在我手中,我就拿葡萄挤在法老的杯里,将杯递在他手中。"约瑟对他说:"你所作的梦是这样解:三根枝子就是三天,三天之内,法老必提你出监,叫你官复原职,你仍要递杯在法老的手中,和先前作他的酒政一样。但你得好处的时候,求你记念我,施恩与我,在法老面前提说我,救我出这监牢。我实在是从希伯来人之地被拐来的,我在这里也没有作过什么,叫他们把我下在监里。"膳长见梦解得好,就对约瑟说:"我在梦中见我头上顶着三筐白饼,极上的筐子里有为法老烤的各样食物,有飞鸟来吃我头上筐子里的食物。"约瑟说:"你的梦是这样解:三个筐子就是三天。三天之内,法老必斩断你的头,把你挂在木头上,必有飞鸟来吃你身上的肉。"(创世记40章9-19节)

先是酒政开口讲述自己的梦,说他梦见一颗葡萄树有三根枝子,发了芽,开了花,其上的葡萄都成熟了。他就取那葡萄挤汁,将杯递在法老手中。

约瑟听罢即刻解释说:三根枝子就是三天,葡萄汁递在法老手中,就意味着三天之内必官复原职,照旧伺候法老。为令人欣喜的吉梦。

约瑟释梦已毕，就求酒政在他复职后要在王面前提他，救他出狱。说自己是从希伯来人之地被掳来的，无辜遭冤下牢。酒政想：只要能官复原职，一切都好说。便痛快答应约瑟。

被卖到埃及为奴，后又蒙冤下监，在此过程中，约瑟从未试图要靠自己摆脱困境，因他相信一切尽在神的掌控中，故受人诬陷，却没有一句申辩，专念维护主人的家庭。

但他并非在茫然无望中度日，而是因信常存美好的指望，等候神赐的良机，忠于信仰的本分。这下似乎所盼的机会来了：酒政若是恢复了官职，就可以救他出这监牢。面对这意外的境遇，约瑟以为这可能是神为他预备的出路。

在旁的膳长，见梦解得好，也把所作的梦讲给约瑟听。他说梦见自己头上顶着三筐白饼，极上的筐子里有各样食物，有飞鸟来吃那筐子里的食物。

而约瑟的解释完全出乎他的意料，就是三天之内，法老必斩断他的头，将其挂在木头上，必有飞鸟来吃其肉。

4.酒政忘却约瑟的请求

到了第三天，是法老的生日，他为众臣仆设摆筵席，把酒政和膳长提出监来，使酒政官复原职，他仍旧递杯在法老手中。但把膳长挂起来，正如约瑟向他们所解的话。酒政却不

记念约瑟，竟忘了他。(创世记40章20-23节)

  第三天是法老的生日。在群臣朝贺的喜庆盛筵中，法老把酒政和膳长提出监来，恩赦酒政，归复原职，使他仍旧递杯在法老手中。而膳长则被斩首并挂起来，正如约瑟所说的。酒政却忘了自己对约瑟的承诺。过了一个月，两个月，甚至过了一年，酒政仍是音信杳然，后来又过了一年的时间。

  这两年的光阴，约瑟是以怎样的心情度过的？是怨叹酒政的无情无义，还是灰心丧志，绝望气馁？恰恰相反。他心里常念神所赐的异象，心中充满信心与盼望，凡事谢恩，更加务实殷勤，积极做事。

  这就是真信心。神早先藉着异梦，给约瑟显明祝福之约。而他所面对的现实与所赐的梦似乎背道而驰，但约瑟坚信那圣约，时常感念，一心期盼。尤其看着酒政和膳长的遭际，正合神藉着他所解的梦一样，就更加夯定他对自己异梦的信心。

  即使神赐予了祝福的约言，若是人辜负神恩，所求的福分必然落空。但只要坚信那约言，恒心顺从神的旨意，神必向人兑现所应许的福分。不过，约言成就的时候和人所设想的日子，可能会有出入。

  约瑟因有这等信念，在那两年光景中也未灰心失望。他本可以通过司狱传信与酒政，但他没有这样做。他坚持不以人意为先，静默等候神所定的时候。

这段守望的岁月，对他而言是一场十分宝贵的历炼。神不会平白无故让约瑟等候这两年的光阴。这里有神的美意，要使约瑟在最合适的时候，置身于可以成就异梦的最佳环境中。

神可以感动酒政的心，使他早点把约瑟救出监牢，但时候还没有到。假如酒政恢复官职后，即时向法老求情释放约瑟出狱，会出现怎样的结果？

获释后，约瑟依旧是希伯来奴仆的身份，别说是异梦获兑，就连觐见法老的机会都得不着，最好的结果可能顶多也就是获得自由，回到父亲雅各身边。这样一来，他在埃及所经历的漫长熬炼岂不归为徒然，无果而终！

神要借着埃及将来面临的七个丰年和七个荒年，立约瑟为治理埃及全地的宰相。而这并不是说，神为了使约瑟当埃及的宰相，故意降丰年和荒年于埃及。原是预知此事的神，提前给约瑟铺路，并将一切安排妥当。

又藉着异梦向法老启示将来的事，使约瑟为法老解梦。此时正是酒政复职两年以后，其间约瑟一直在监里服刑。

扩展分享二

古代近东的中心埃及介绍

约瑟被卖为奴之地埃及，是人类文明的发源地之一，也是世界四大文明古国之一，有着灿烂的文化。那么，埃及为何发展这么早，其辉煌文明的起源又在哪里？

伊甸园的亚当经常游历之地

神所造首先的人亚当，在犯罪之前拥有治理和管辖万物的权柄和使命，故经常来往于伊甸园和地球之间。每访问地球之时，亚当游览地上的自然美景，其中代表性的正是今埃及所在的尼罗河一带。

创世记2章10节以下记载：有河从伊甸流出来滋润那园子，从那里分为四道：第一道名叫比逊；第二道河名叫基训，就是环绕古实全地的；第三道河名叫底格里斯；第四道河就是幼发拉底河。其中环绕古实全地的基训河就是尼罗河的源头。

古代文明发祥地———尼罗河流域

神所造的地球,因着从伊甸发源分成四道的河流而生机盎然,土地肥美,风景绮丽。然而自从亚当犯罪,被逐出伊甸园后,地球也同受咒诅,越久越荒凉(创世记3章17、18节)。不过,地虽然受了咒诅,但与现今环境相比,当时那地可是繁茂甘肥。

埃及被称为"尼罗河的礼物",埃及文明的起源与发展都是以尼罗河为中心。每逢雨季,降在埃塞俄比亚(古实;埃提阿伯)高原的大量雨水导致下游尼罗河水泛滥,使得水库、池塘等水利设施十分发达,促进了农业发展,带动了经济繁荣,使埃及同幼发拉底河和底格里斯河流域的美索不达米亚,成为古代中东的中心。

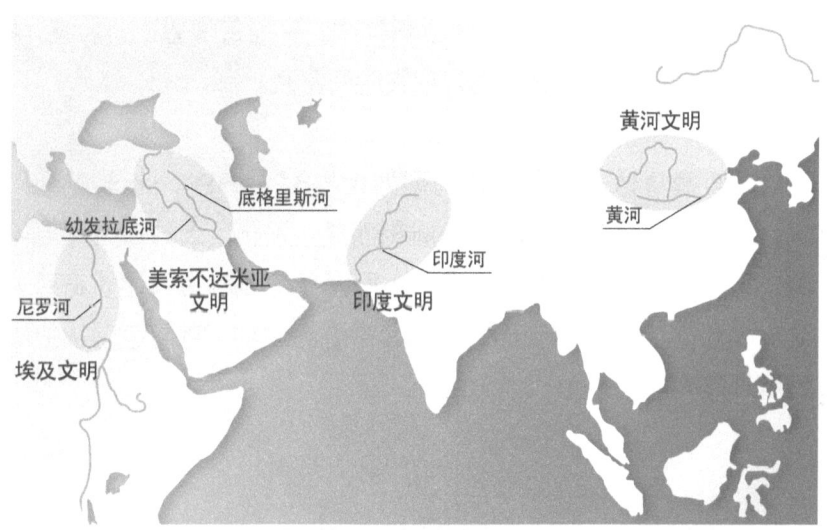

世界四大文明发祥地

辉煌文明所留下的痕迹

地处尼罗河流域的埃及，随处可以看到辉煌文明所留下的痕迹。最典型的可数金字塔和人面狮身像。这些神秘的古迹，与含有"骄傲，值得较量"之意的"基训"这个名称有关联（创世记2章13节）。

埃及吉萨地区坐落着最大的一座金字塔和与之为邻的两座金字塔。这三座金字塔与猎户座星座正中央的三颗明星之间对应关系十分精确。例如，第三座金字塔明显小于其它两座金字塔，猎户星座中的第三颗星的亮度明显偏低，而且第三座金字塔和第三颗星同样稍微偏离直线。

金字塔以其高超的建筑技术和内含高深的天文学、数学知识而闻名。塔体大约由230万块巨石砌成，平均每块重2.5吨，石块之间的缝隙只有0.5毫米，为现代文明所不及。

人面狮身像，与金字塔同列为世界七大奇迹。此像高约20米，长约74米，是以整块石头雕刻而成。如此巨大的石头源自何处，又如何搬运而来？金字塔和人面狮身像堪称古代建筑奇迹，这一地带是生活在伊甸园的亚当曾常游历之地，我们可以从中找到解开其奥秘的线索。

第三章

希伯来奴仆约瑟，成为埃及的宰相

埃及王所作的异梦

酒政举荐约瑟与法老

埃及王召见约瑟为他解梦

为法老解梦并提示应对之策

有神的灵在里头的人，我派你治理埃及全地

约瑟当上埃及宰相，预备将来的七个荒年

1. 埃及王所作的异梦

　　过了两年，法老作梦：梦见自己站在河边，有七只母牛从河里上来，又美好又肥壮，在芦荻中吃草。随后又有七只母牛从河里上来，又丑陋又干瘦，与那七只母牛一同站在河边。这又丑陋又干瘦的七只母牛吃尽了那又美好又肥壮的七只母牛。法老就醒了。他又睡着，第二回作梦：梦见一棵麦子长了七个穗子，又肥大又佳美，随后又长了七个穗子，又细弱又被东风吹焦了。这细弱的穗子吞了那七个又肥大又饱满的穗子。法老醒了，不料是个梦。到了早晨，法老心里不安，就差人召了埃及所有的术士和博士来。法老就把所作的梦告诉他们，却没有人能给法老圆解。（创世记41章1-8节）

　　照着约瑟的解梦，酒政官复原职。两年后，某一天埃及王法老连作两个奇梦。

　　梦见自己站在河边，有七只肥美的母牛从河里上来，在芦荻中吃草。随后又有七只丑陋干瘦的母牛从河里上来，吃尽了那肥美的七只母牛。

法老梦醒又睡着，又作了一梦，见一棵麦子长了七个穗子，饱满又充实，随后又长了七个穗子，细弱又焦枯，吞了那七个饱满的穗子。

"法老站在河边"，这里"河边"意味着"试验"。"水边"、"溪水旁"与代表神道的水有关，因此"站在河边"，表明这是出于神的试验，结局必然是蒙神赐福。

法老醒来，觉得此梦不吉利，心中不安。烦闷之余，差人召了国中所有的术士和博士来，询问此梦之意，却无一人能给他圆解。

在古代社会，通常由被认为具有超自然能力的巫师或术士主持祭祀活动。代表魔术或巫术的magic一词，也是由来于古波斯负责祭祀的氏族集团magus。他们使用障眼法、催眠术，或借助邪灵鬼魔之力，行巫术，迷乱人心，祸害于人。查考经上关乎出埃及时代那些抗拒摩西的术士的记录，就可以得知其本质。

法老从他们口中得不到解答，就更加不安和愁闷。此时，在旁的酒政突然想起了一个人，就是过去在监里为他解梦的那个希伯来人约瑟。两年过去了，酒政把这件事忘得一干二净，而说到解梦，这才想起约瑟，并想起自己曾经对他许下帮他出狱的承诺。

神所定的时候一到，万事都互相效力，使神在约瑟身上的旨意进一步显明，整个过程环环相扣，不露痕迹。

2.酒政举荐约瑟与法老

> 那时酒政对法老说:"我今日想起我的罪来。从前法老恼怒臣仆,把我和膳长下在护卫长府内的监里。我们二人同夜各作一梦,各梦都有讲解。在那里同着我们有一个希伯来的少年人,是护卫长的仆人,我们告诉他,他就把我们的梦圆解,是按着各人的梦圆解的。后来正如他给我们圆解的成就了:我官复原职;膳长被挂起来了。"(创世记41章9-13节)

见无人能解王的梦,酒政便定意向法老举荐约瑟。他不直接提到约瑟这个人,而迂回地以"我今日想起我的罪来"作为话头,说起自己的经历来。

讲自己和膳长曾得罪法老而因在护卫长府内监牢时,他们二人各作一梦,那里有一个希伯来少年为之圆解十分灵验,照他所说的,他得以官复原职,膳长则被斩首示众。先是以"我今日想起我的罪来"这种卑微的口吻,带着真情实意讲述约瑟解梦之精确无误。话虽不长,却很生动,颇有说服力。那么,酒政为何不直接举荐约瑟,而采用这种迂回的方式呢?这是出于他智慧的考虑,要达到事半功倍的效果。

假如酒政直表胸臆,说:我曾在监里认识一个叫约瑟的希伯来仆人,他擅长解梦,召他来为王解梦。想想,法老能轻易地接纳吗?

当然按信任的程度，会有不同的反应，但很难一次得到法老的认同。说不定会使法老不悦："区区一个希伯来奴隶，怎能解无人能解的梦，难道我们埃及这么多的术士和博士还不如一介希伯来仆人？"

这样一来，此事以后便不敢再提了。然而，酒政凭着长期贴身伺候王所练就的聪慧机敏，成功地使法老欣然同意召见约瑟。

神参透酒政的性情、为人，以及他的机智和老练，就拣选他，使他充任为约瑟直接得见法老牵线搭桥的角色。因为在长期伺候法老的过程中，他已摸透法老的心思，懂得如何才能打动法老的心。

酒政若是轻忽道义的人，又会怎样呢？即使想起了约瑟，也不敢轻易举荐约瑟给法老。因为约瑟解梦万一使法老不满意，他也就难辞其咎。

酒政明知此事有风险，却仍举荐约瑟与法老，是要兑现先前向约瑟所作的承诺。两年来不曾想起约瑟，是因为时候还没有到，神没有感动他的心。当他想起约瑟的时候，就决定尽他应尽的道义。

3. 埃及王召见约瑟为他解梦

> 法老遂即差人去召约瑟，他们便急忙带他出监，他就剃头，刮脸，换衣裳，进到法老面前。法老对约瑟说："我作了一梦，没有人能解，我听见人说，你听了梦就能解。"约瑟

回答法老说:"这不在乎我,神必将平安的话回答法老。"

法老对约瑟说:"我梦见我站在河边,有七只母牛从河里上来,又肥壮又美好,在芦荻中吃草。随后又有七只母牛上来,又软弱又丑陋又干瘦。在埃及遍地,我没有见过这样不好的。这又干瘦又丑陋的母牛吃尽了那以先的七只肥母牛,吃了以后却看不出是吃了,那丑陋的样子仍旧和先前一样。我就醒了。我又梦见一棵麦子,长了七个穗子,又饱满又佳美,随后又长了七个穗子,枯槁细弱,被东风吹焦了。这些细弱的穗子吞了那七个佳美的穗子。我将这梦告诉了术士,却没有人能给我解说。"

约瑟对法老说:"法老的梦乃是一个,神已将所要作的事指示法老了。七只好母牛是七年;七个好穗子也是七年;这梦乃是一个。那随后上来的七只又干瘦又丑陋的母牛是七年;那七个虚空、被东风吹焦的穗子也是七年,都是七个荒年。这就是我对法老所说,神已将所要作的事显明给法老了。埃及遍地必来七个大丰年,随后又要来七个荒年,甚至在埃及地都忘了先前的丰收,全地必被饥荒所灭。因那以后的饥荒甚大,便不觉得先前的丰收了。"(创世记41章14-31节)

忧苦烦闷的法老,听了酒政的话大喜,遂即差人去召约瑟来。神所定的时候到了,约瑟终于站在了法老面前。法老对刚从监里提出来的约瑟说无人能为他解梦,并说:"我听见人说,你听了梦就能解。"

　　约瑟意识到自己站在法老面前，是出于神的旨意。当他听到法老要召见他时，也不曾惶恐或不安，反而相信所定的时候已到，安之若素，坦然自若。约瑟回答法老说："这不在乎我，神必将平安的话回答法老。"约瑟壮胆在王面前敢于奉神的名说话。

　　约瑟深知一切尽在神的旨意中，坚信神必向他启解法老的梦，于是十分肯定地向法老说：神必将平安的话回应他。约瑟知道要圆解法老的梦，必须领受神的启示，便卑微无我，专赖神助。

　　法老向约瑟陈说所作的梦，约瑟听毕，就顺着所赐的感动和启悟，畅然释解那梦。这是顺着神的感动说出来的，完全不用任何人意的思考或揣摩。

　　释梦果然非同寻常，"又肥壮又美好的七只母牛"和"又饱满又佳美的七个穗子"代表七个大丰年，"七只干瘦丑陋的母牛"和"七个枯槁细弱，被东风吹焦的穗子"代表七个大荒年。

　　表示埃及将遭遇七个丰年和接连而至的七个荒年，而且"又干瘦又丑陋的母牛吃尽了那以先的七只肥母牛"和"细弱的穗子吞了七个佳美的穗子"，是指因随后要来的大饥荒，埃及全地都忘了先前的丰收。法老一连作了两个意思相同的梦，表示神已命定此事，必速速成就。

4.为法老解梦并提示应对之策

> 至于法老两回作梦,是因神命定这事,而且必速速成就。所以法老当拣选一个有聪明有智慧的人,派他治理埃及地。法老当这样行,又派官员管理这地。当七个丰年的时候,征收埃及地的五分之一,叫他们把将来丰年一切的粮食聚敛起来,积蓄五谷,收存在各城里作食物,归于法老的手下。所积蓄的粮食可以防备埃及地将来的七个荒年,免得这地被饥荒所灭。(创世记41章32-36节)

古代人民生活以农耕或畜牧为主。长达七年的饥荒,无论多么富强的国家也难以支撑。那梦若是实现了,埃及必将面临攸关国家存亡的巨大灾难。

听着此解,法老不能不为之震惊,而约瑟紧接着具体地向法老献应对之策:叫法老选立一个聪明睿智的人治理埃及地,又派官员在未来七个丰年,征收埃及地五分之一的粮食进行储藏,以备之后的大荒年。

当然,以七个丰年的积蓄去应对之后的七个荒年,这种办法任谁都能想得出来。而约瑟并不只是笼统地说以丰年对付荒年,而是提出具体详细的策略,包括粮食征收标准,乃至储藏和分配等。

假如王派官吏去研究对策,将会如何?先要评估全国年均产量及全民年均粮食需求量,还要估测丰年和荒年的产量。

粮食和牲畜饲料,及至次年所需的种子等等,需要评估的太多太多。即使拿全方位的评估数据进行研究,也不容易获得满意的答案。再者即便经过深思熟虑,想出缜密的对策,仍存在难以预测的变数。

约瑟毫不犹豫地提示"五分之一的征收"之策。当然这是因为神赐约瑟智慧而成的,但一方面也说明约瑟对国家经济有着十足的把握和了解。

约瑟在波提乏府内担任全业总管,长期管理和运作大规模的产业和家务,充分具备了管理实务的能力。这种能力不是靠书面知识,而是在实际体验中所获得的。加上在监牢里所得到的有关国家政事的民情咨讯,使他对埃及的国情和经济状况有了深入的了解。

在具备这些条件的状态下,约瑟被神的灵所感,能向法老提示应对之策。这就是神熬炼约瑟于波提乏家和牢狱中的原因之一。使约瑟具备充分的属灵资质的同时,也具备属肉层面的才华能力。

5.有神的灵在里头的人,我派你治理埃及全地

法老和他一切臣仆,都以这事为妙。法老对臣仆说:"像这样的人,有神的灵在他里头,我们岂能找得着呢?"法老对约瑟说:"神既将这事都指示你,可见没有人像你这样有聪明有智慧。你可以掌管我的家,我的民都必听从你的话,惟独在宝座上我比你大。"法老又对约瑟说:"我派你治

> 理埃及全地。"法老就摘下手上打印的戒指，戴在约瑟的手上，给他穿上细麻衣，把金链戴在他的颈项上。又叫约瑟坐他的副车，喝道的在前呼叫说："跪下！"这样，法老派他治理埃及全地。法老对约瑟说："我是法老，在埃及全地，若没有你的命令，不许人擅自办事（原文作'动手动脚'）。"法老赐名给约瑟，叫撒发那忒巴内亚，又将安城的祭司波提非拉的女儿亚西纳给他为妻。约瑟就出去巡行埃及地。（创世记41章37-45节）

王听了约瑟的解梦和其灵明的应对之策，便茅塞顿开，喜出望外。约瑟超群的聪明才智，加上谦卑诚实的品性，赢得法老的欣赏和喜爱。

除了法老，王的臣仆们也都赞叹其策之妙。约瑟非凡的才智和高尚的品质，博得法老和他众臣的肯定和信任，虽是初次相见，却已深得信服。

"像这样的人，有神的灵在他里头，我们岂能找得着呢？"法老非常兴奋。承认与约瑟同在的神，又称赞约瑟的智慧和聪明。

见此情形，按常理说，法老的臣仆们会对王的决定产生顾虑，王竟然不念国中有许多谋臣策士，转而器重并宠信一介希伯来仆人，他们心中甚至会愤愤不平。

但他们虽然看到王信任约瑟并言听计从，却没有任何不服不满或嫉贤妒能。更没有因为是一个希伯来奴仆的话，就不屑一听，轻蔑以待。这说明法老和他的臣仆们心地比较良善，彼此同心合意。

法老当即对约瑟说"你可以掌管我的家"，并称"惟独在宝座上我比你大"，遂将手上打印的戒指摘下，戴在约瑟的手上。王手上"打印的戒指"相当于国玺，一般由玉石或贵重金属制成，其上刻有文字图案，加盖在令状等重要公文上，是古代帝王权柄地位的象征。法老此举表示他已委派约瑟治理埃及一切的国政。

法老还给约瑟穿上细麻衣，把金链戴在他的颈项上，又叫约瑟坐他的副车，喝道的在前呼叫说："跪下！"法老将约瑟立作治理埃及全地的宰相，并且宣布：若没有约瑟的命令，不许人擅自办事。

法老委派约瑟治理七个荒年，又将自己一切的权柄交给约瑟，使他位居一人之下万人之上。从一个外族奴仆、阶下囚，一跃成为大国之宰相，这一人生大反转，正合神所定的时候，这是约瑟经过许多试炼所蒙的相称的福分。

从那些朝廷众臣的角度考虑，法老的这一决定来得实在太突然，甚至似乎有些草率荒唐。令他们更难以接受的是，从此要向一介希伯来奴仆俯首听命，心有不平、口有不满，也算情有可原。

甚至会群起表谏反对王的决定，陈述对埃及的国情我们比约瑟了解得多、我们有足够的能力应对此事，或者表面上听命服从，背地里合谋排挤约瑟。然而法老的臣仆们却不是这样。

当然对法老而言,将治理埃及全地的重任交给一个希伯来奴仆,不能不说是一场冒险。但约瑟已得法老信任,并将他立作埃及的宰相。

约瑟被卖到埃及第十三年,他的异梦果然得以实现。法老授权于约瑟后,赐他一个埃及名字叫"撒发那忒巴内亚",意为"神是启示奥秘者,是活神"。

法老又将安城的祭司波提非拉的女儿亚西纳给约瑟为妻。安城位处土地肥美的尼罗河三角洲南端,时为埃及重要的商贸中心。古埃及时代,祭司是社会最高贵族阶层。许配祭司的女儿给约瑟,可谓法老对他的最高待遇。

由此更加巩固了约瑟的地位和权力。表明法老对约瑟的信任是绝对的,没有半点存疑,为约瑟治理埃及提供一切可能的条件。

若没有法老全方位的支持,约瑟可能会面临许多困阻。由法老作后盾,约瑟便能畅通无阻地施展从神来的智慧,造福于埃及和法老。

法老由于立约瑟为宰相,应对七个荒年,从而胜过了巨大灾殃。若没有约瑟,埃及必经不起那大灾而衰败没落,再难恢复元气。所以对埃及的君王和百姓来说,约瑟可谓他们的救命恩人。

法老其国其民能够蒙神的大恩,乃因合乎公义。法老和他的臣仆们蒙神的恩典,是得益于他们的淳朴善良。当初他们若是不认约瑟，又不识那智慧之策，埃及必被可怕的灾难所吞灭。

　　君臣若不同心，也是一样的结局。而法老因着善心，为灵所感，做出英明抉择，众臣仆也与法老同心，顺从法老而行，他们国家和百姓得获蒙神拯救的大恩。这个事件给我们的教训是：一个组织或团契的成功，关键在于上下同心，合而为一。

　　当今我们在圣工上，要想获得神的帮助，务求同工之间的和睦。只要大家在主里面同心合意，仇敌魔鬼、撒但便无隙可乘，在一切所谋的事上必得畅通无阻。反之，大家若不同心，彼此不睦，则必遭撒但的亵渎和搅扰，事事不顺，处处碰壁；胜败不在精英的多寡，而在同心和睦与否。

　　法老和他的众臣因淳朴善良，彼此同心，具备了能够蒙神恩典的公义条件。假如法老心地刚硬，臣仆们嫉妒约瑟，与神的恩典也就无缘了。因为神必按公义行事，不会无凭无据施恩与人。善人得善报，恶人遭恶报，是各按所行而得。

　　当然，也不是说法老和其臣仆已经达到了神所认定的善的境界。神为赐恩典福分，所要求的善的标准也是因人而异。

　　法老和其臣仆虽是不信神的"外邦人"，但承认神和神人约瑟，这就是他们被神看为善的部分。这里重要的是，即使具备可蒙应允的善心、爱心和信心，若是不肯顺从神的带领，便是枉然。

　　神惟愿拣选那些善于顺从的人来成就祂的圣工。拣选埃及的法老为祂所用，正是因为预知法老必信任并听从约瑟的话。这位法老若是心地刚硬如同出埃及时代的那个法老，神必不会在其身上行祂自己的旨意。

就这样，神参透当世埃及最高统治者法老的为人，选择他作为成就神旨意的媒介，使一切都在万事互相效力和配搭契合中进行。所以顺应神的"定期"和"定时"，是至关重要的。

神的旨意不会在任意随机或刻意编排中成就。参透万物的神，选择最合适的时候，就是在一切情境和条件吻合、融洽之时，行祂所要行的事。神为约瑟所设定的时候，正值他三十岁盛年。

6. 约瑟当上埃及宰相，预备将来的七个荒年

> 约瑟见埃及王法老的时候年三十岁。他从法老面前出去遍行埃及全地。七个丰年之内，地的出产极丰极盛（原文作"一把一把的"），约瑟聚敛埃及地七个丰年一切的粮食，把粮食积存在各城里，各城周围田地的粮食都积存在本城里。约瑟积蓄五谷甚多，如同海边的沙，无法计算，因为谷不可胜数。荒年未到以前，安城的祭司波提非拉的女儿亚西纳给约瑟生了两个儿子。约瑟给长子起名叫玛拿西（就是"使之忘了"的意思），因为他说："神使我忘了一切的困苦和我父的全家。"他给次子起名叫以法莲（就是"使之昌盛"的意思），因为他说："神使我在受苦的地方昌盛。"埃及地的七个丰年一完，七个荒年就来了，正如约瑟所说的，各地都有

饥荒,惟独埃及全地有粮食。及至埃及全地有了饥荒,众民向法老哀求粮食,法老对他们说:"你们往约瑟那里去,凡他所说的你们都要作。"当时饥荒遍满天下,约瑟开了各处的仓,粜粮给埃及人;在埃及地饥荒甚大。各地的人都往埃及去,到约瑟那里籴粮,因为天下的饥荒甚大。(创世记41章46-57节)

约瑟在神的旨意当中,被卖到埃及为奴,三十岁时为法老解梦,得法老的赏识而成为埃及的宰相。而他却不得居安享乐,因刚刚上任,就要肩负救国重任,投身于繁忙的事务中。

约瑟遍行埃及全地,日理万机,为将来的七个丰年和七个荒年作周全的预备。如兴建谷仓,从规划到落实;贮藏谷物,确保防潮、防虫和保鲜等,处处需要从神而来的智慧。

约瑟从神所解的梦果然应验,埃及迎来了七个丰年。假如埃及人不知随后将有七个荒年,可能会浪费挥霍这七个丰年之收获,恐被后至的七个荒年所灭。约瑟照着曾向法老所献的计策,每年征收一定数量的谷物,储备在各城的谷仓里。所积蓄的五谷甚多,"如同海边的沙,无法计算"。

在全国正洋溢着丰收喜庆之时,神使约瑟得了两个儿子。神无微不至的慈爱在此显明:神使约瑟得子,非在灾荒席卷全国之时,而在丰年喜庆之机,岂不喜乐倍增,福气更盛!

约瑟的长子名叫玛拿西，意为"使之忘了"。的确，约瑟此时得以忘却以往的苦难。次子名叫以法莲，包涵"使之昌盛"之意，约瑟在埃及所付出的劳碌与殷勤，换来了腾达昌盛。两个儿子的出生，使约瑟灵肉之间福杯满溢。

七个丰年过去，七个荒年悄然而至。因着连年不断的丰收，人们对现状已经习惯，"丰年不致中断吧？"存有盲目乐观，耽于安逸的心态。

有些官吏可能对约瑟"谷物征收五分之一，储备各地粮仓"的工作部署轻忽怠惰，觉得繁琐累赘（创世记41章34-36节）。有些人可能对荒年将至的说法将信将疑，采取观望的态度。

然而七个丰年一完，荒年如期而至，证实了约瑟的预言。这场饥荒遍及埃及乃至周围邦国。宰相约瑟储备并调配七个丰年之收以对付荒年，埃及全地粮食充足有余。

埃及有粮的消息很快就传遍周围城邦，求粮的饥民从四面八方拥向埃及。约瑟淋漓尽致地发挥自己曾在波提乏府中和监牢里所表现出的诚实忠信和精明才干，完全克服了亡国的危机。

神的同在，有了今天的我，

神的恩泽、神的荣耀藉我彰显，

神的圣名藉我广传。我要感谢您！

神爱充满我的生命，

神喜悦的见证，藉我多多彰显，

神美意的果子，藉我赫赫呈现，

使我成就这一切，增添您的喜悦。

我要感谢您！

第二部

约瑟以善的智慧，救以色列和埃及于大饥荒之中

/ 第二部 /

雅各的十二个儿子是以色列民族形成的基础,

约瑟深明神的旨意,
发挥善的智慧,
引哥哥们拆毁他们与神隔断的罪墙,
为以色列十二支派的形成营造必要条件。

他超越宽恕之信德,
而活出引众人得生的至深仁爱之境界。

第四章

证验你们的话真不真

雅各的十个儿子到埃及买粮

你们是奸细,来窥探这地的虚实

约瑟扣押哥哥们三日在监

你们如果是诚实人,把你们的小兄弟带到我这里来

雅各哀叹连便雅悯也难保

1. 雅各的十个儿子到埃及买粮

> 雅各见埃及有粮，就对儿子们说："你们为什么彼此观望呢？我听见埃及有粮，你们可以下去，从那里为我们籴些来，使我们可以存活，不至于死。"于是，约瑟的十个哥哥都下埃及籴粮去了。但约瑟的兄弟便雅悯，雅各没有打发他和哥哥们同去，因为雅各说："恐怕他遭害。"来籴粮的人中有以色列的儿子们，因为迦南地也有饥荒。(42章1-5节)

埃及正处在连年灾荒之际，雅各家族所住的迦南地也饥荒深重，口粮紧缺。雅各为一家之主，忧虑日渐加深。

一天，雅各得知埃及有粮，就对儿子们说"你们为什么彼此观望呢？"已是成人的儿子们似乎无一为家中缺粮操心，雅各看着心里着急，就责问他们。而从这一句话可以推知当时雅各和其众子之间的关系如何。雅各总觉得他们不可信。儿子们也意识到父亲对他们的不信任，便无人敢于率先挺身而出。

雅各的众子听到父亲到埃及籴粮的吩咐，这才动身前往埃及。雅各将小儿子便雅悯留在自己身边。便雅悯和约瑟一样，是雅各四个妻子中最爱的拉结所生。雅各不让他去埃及，生怕其也遭到什么不测。

可以看得出当时灾荒之深以及求粮之艰巨。饥荒遍地，人情险恶，偷盗抢掠，危机四伏。何况远征到异国之地求粮，更令人不安和担忧。

那么，此时众子对父亲独留便雅悯于身边有何反应？他们曾对雅各偏宠约瑟心怀不满，而这次则非同以往。他们一直因自己出于嫉恨将约瑟卖至埃及为奴而深感内疚和罪责，再者，便雅悯与他们年龄相差悬殊，而且其性情也与约瑟不同。

在他们看来，便雅悯性情柔弱乖顺，从来不作得罪哥哥们的事，不像约瑟因受父亲的专宠而自视其高，炫示张扬，还将他哥哥们的恶行报给他们的父亲。因而便雅悯虽受父亲的过多疼爱，哥哥们也不嫉妒他，也不因父亲独留他一人而不满。

2.你们是奸细，来窥探这地的虚实

> 当时治理埃及地的是约瑟，粜粮给那地众民的就是他。约瑟的哥哥们来了，脸伏于地，向他下拜。约瑟看见他哥哥们，就认得他们，却装作生人，向他们说些严厉话，问他们说："你们从哪里来？"他们说："我们从迦南地来籴

粮。"约瑟认得他哥哥们，他们却不认得他。约瑟想起从前所作的那两个梦，就对他们说："你们是奸细，来窥探这地的虚实。"他们对他说："我主啊，不是的，仆人们是籴粮来的。我们都是一个人的儿子，是诚实人，仆人们并不是奸细。"

（42章6-11节）

雅各的众子到了埃及，向埃及的宰相俯伏下拜，却认不出那是他们的兄弟约瑟。因为他们做梦也想不到约瑟会当埃及的宰相。

约瑟则一眼就认出他的哥哥们，因为他将神所赐的异梦始终怀揣与心中，相信有朝一日必与父亲和哥哥们相逢。

当下，约瑟时隔二十年得见他的哥哥们，心情如何？虽然哥哥们曾经蓄谋害他，又卖他作奴，而约瑟非但无一丝怨恨，反在心头涌起浓浓深情。

约瑟经过熬炼，学会了为哥哥们着想，并且醒悟到自己的不足。"当初若是多体贴哥哥们的感受，就不至于遭哥哥们嫌弃……"他将一切归咎于自己。深省自己曾有夸示之心，又缺少爱心与德行，未能遮掩别人之过，导致兄弟之间不睦。约瑟通过试炼，得以造就美善心灵。

对哥哥们的恶行，约瑟无怨无恨，反而体恤怜悯，并且感恩神在他生命中的带领和引导。约瑟此时的心情，真想激情拥抱哥哥们，尽兴分享骨肉亲情，且让父亲得知他还活着的消息。但约瑟极力克制自己，免得耽误了神的旨意。此话怎讲？

雅各的十二个儿子是将来以色列民族形成的基础。而他们之间有着阻碍他们合一的隔墙。他们分别是由四个女人所生，加上父亲的偏宠，导致兄弟之间产生矛盾和隔阂，以至发展成卖自己兄弟为奴的悲剧。

卖了约瑟后，哥哥们受到良心的谴责，亏欠自己的父亲。但随着时间的推移，这种罪责感渐渐淡漠，旧事已去不想重提，任凭时光模糊他们对约瑟的记忆。

这样的兄弟之间，何谈友爱合一。在极度饥荒中，全家面临饿死危机，而他们直至受到父亲的责问，却没有一人肯率先担责，只是彼此观望。

想想，约瑟若是对他们一味地宽恕和施爱，结果会如何？兄弟之间的关系很难达成和谐融洽。兄弟们对以往的过错，也必无所醒悟，改过自新更是遥不可望。若是这样，从他们而出的以色列民族亦必不能合一同心。

因此，神要给约瑟的兄弟们彻底懊悔在约瑟身上之恶行的机会。而且借以使兄弟们彼此相爱，合而为一。神因着祂丰富的慈爱，使他们悔改一切罪过，无可指摘，迎接新的开始。

约瑟得见哥哥们心里欢喜，很想尽情分享久别重逢的喜悦，但他极力克制自己。约瑟生性多情，且经过熬炼，得成至善之心，见到哥哥们，自然喜从中来。而且迫不及待地想知道父亲的近况如何！然而约瑟控制住自己的感情，因他先考虑的是神的旨意。约瑟顺着所赐的感动，故意不认哥哥们，用严厉的语气询问："你们从哪里来？"哥哥们说他们是从迦南地来籴粮的。约瑟说："你们是奸细，来窥探这地的虚实。"

约瑟的哥哥们大大吃惊。他们要是认出约瑟来，会把这当做是约瑟在为他们的过犯加以报复。而约瑟并无此念。

约瑟想起自己从前所作的梦：哥哥们的捆向他的捆下拜；日头、月亮和十一个星星向他下拜。他一直坚信这是神赐的梦，而过了多年之后，这梦果然成为现实——哥哥们正向他俯伏下拜。

不过，约瑟的梦并非就此全然实现。哥哥们当下只是为了求粮而向埃及宰相下拜，并非承认神所赐的梦，也非诚然向弟弟约瑟下拜。

约瑟切愿哥哥们能够由衷地信服他们的神，于是故意指他们为奸细，并非出于报复，威吓他们，而是要成就神的旨意。因他知道神差他到埃及，旨在成就以色列民族，为此他的哥哥们一定要彻底悔改自新。

3.约瑟扣押哥哥们三日在监

> 约瑟说："不然，你们必是窥探这地的虚实来的。"他

们说:"仆人们本是弟兄十二人,是迦南地一个人的儿子,顶小的现今在我们的父亲那里,有一个没有了。"约瑟说:"我才说你们是奸细,这话实在不错。我指着法老的性命起誓,若是你们的小兄弟不到这里来,你们就不得出这地方,从此就可以把你们证验出来了。须要打发你们中间一个人去,把你们的兄弟带来。至于你们,都要囚在这里,好证验你们的话真不真,若不真,我指着法老的性命起誓,你们一定是奸细。"于是约瑟把他们都下在监里三天。(42章12-17节)

意外被扣上奸细嫌疑的哥哥们,惊慌之余道出了没有问及的家族状况,意在证明他们的清白无辜。约瑟由此得知父亲和弟弟便雅悯的消息:父亲还活着,便雅悯也健在,依旧住在迦南地。

得知大体情况的约瑟,吩咐他哥哥们:要想证明自己不是奸细,除非把他们最小的弟弟便雅悯领来见他。约瑟非见他的小弟不可是有原因的。

便雅悯是他同母所生的骨肉兄弟,自然爱怜有加。约瑟被卖至埃及的时候,便雅悯年纪还很小。约瑟多么想知道之后的二十年岁月中,便雅悯在哥哥们中间,是否安然成长。

同时要察看哥哥们的反应;探知曾卖他为奴的哥哥们现今的心境如何。

给哥哥们提供一定的线索之后,约瑟将他们关在牢里三天,要给他们反省悔过的时间。在牢里的那三日，兄弟们定是百感交集，思虑重重！

"此事该如何是好！"他们忧心忡忡，又念起以往的种种过犯，懊悔喟叹。想到埃及宰相一诺千金，绝无空谈，若不把便雅悯领来，必将难逃奸细的罪名。他们三日在监里的思虑之深，在第三日见约瑟时的言语间充分表露出来。

4.你们如果是诚实人，把你们的小兄弟带到我这里来

到第三天，约瑟对他们说："我是敬畏神的，你们照我的话行就可以存活。你们如果是诚实人，可以留你们中间的一个人囚在监里，但你们可以带着粮食回去，救你们家里的饥荒。把你们的小兄弟带到我这里来，如此，你们的话便有证据，你们也不至于死。"他们就照样而行。他们彼此说："我们在兄弟身上实在有罪，他哀求我们的时候，我们见他心里的愁苦，却不肯听，所以这场苦难临到我们身上。"流便说："我岂不是对你们说过，不可伤害那孩子吗？只是你们不肯听，所以流他血的罪向我们追讨。"他们不知道约瑟听得出来，因为在他们中间用通事传话。约瑟转身退去，哭了一场，又回来对他们说话，就从他们中间挑出西缅来，在他们眼前把他捆绑。约瑟吩咐人把粮食装满他们的器具，把各人的银子归还在各人的口袋里，又给他们路上用的食物。人就照他的话办了。(42章18-25节)

囚禁第三天，约瑟告诉他兄弟们要想证明他们不是奸细，就得留他们中间的一个人，其余的都回去救家里的饥荒，然后带着他们的小兄弟再来。这是要使他们体悟到被迫留一个兄弟作人质的忧伤和哀痛。

借以要试验他们兄弟之间的友情有多深、是否有舍己为人的心志，同时唤起他们过去卖自己兄弟的记忆。而此时更令他们痛苦难过的是：不得不留一个兄弟在埃及作人质。

事已至此，哥哥们回顾过去在约瑟身上所行的恶事，诚心懊悔，坦白认罪，正如约瑟所设想的。他们因未能认出眼前的埃及宰相正是他们的兄弟约瑟，便用希伯来话彼此说："我们在兄弟身上实在有罪，他哀求我们的时候，我们见他心里的愁苦，却不肯听，所以这场苦难临到我们身上。"以为约瑟听不出来他们的话。

焦急难耐的流便对兄弟们说："我岂不是对你们说过，不可伤害那孩子吗？只是你们不肯听，所以流他血的罪向我们追讨。"他身为长子，因未能阻止兄弟们出卖约瑟而始终怀有沉重的罪责感。

其实在他言语中，多是对弟弟们的咎责，自己并不愿承担全责。不管怎样，值得庆幸的是，到了这般窘迫之境，兄弟们纷纷懊悔以往的罪过。认为这是对他们恶行的报应。

约瑟在旁听见哥哥们这番话，抑制不住情绪，转身退去，哭了一场又回来。看来一切都照约瑟所预料的进展。约瑟是在顺着神的感动，有意将哥哥们引向绝路。

约瑟看着哥哥们焦虑不安并痛心悔罪的样子，往日的情景和现实的情境穿插交织，感慨万千，又因哥哥们的反省悔过，心生无限爱怜之情。而令他难过的是，此时还得继续向哥哥们隐瞒真情，以严厉的态度相待。

他何尝不想就地表示宽恕哥哥们的过犯，与他们分享久别重逢的欢喜。但他为哥哥们着想，极力克制自己，不为私情所动，引动哥哥们悔罪改过。

哥哥们卖约瑟为奴，犯了大罪，不单得罪了约瑟，也得罪了他们的父亲雅各和他们的神。

他们轻慢神赐予约瑟的异梦，甚至扬言要把约瑟杀了，且看他的梦将来怎么样（创世记37章20节）。他们非但不认神按祂的旨意所赐予约瑟的异梦，甚至表示不屑。

雅各的众子要成为选民以色列的基石，必须拆毁与神隔断的罪墙。罪墙不拆毁，他们就不配作以色列民族的祖先。于是神感动约瑟，引导他们把握悔改的机遇。

约瑟极力抑制着激动的情绪，继续将哥哥们引向困境。因为哥哥们的悔改还不够彻底，就当着他们的面捆绑并扣留西缅，又吩咐人把粮食装满他们的器具，暗暗地把价银分别归还在各人的口袋里。

5.雅各哀叹连便雅悯也难保

他们就把粮食驮在驴上,离开那里去了。到了住宿的地方,他们中间有一个人打开口袋,要拿料喂驴,才看见自己的银子仍在口袋里,就对弟兄们说:"我的银子归还了,看啊,仍在我口袋里!"他们就提心吊胆,战战兢兢地彼此说:"这是神向我们作什么呢?"他们来到迦南地他们的父亲雅各那里,将所遭遇的事都告诉他说:"那地的主对我们说严厉的话,把我们当作窥探那地的奸细。我们对他说:'我们是诚实人,并不是奸细。我们本是弟兄十二人,都是一个父亲的儿子,有一个没有了,顶小的如今同我们的父亲在迦南地。'那地的主对我们说:'若要我知道你们是诚实人,可以留下你们中间的一个人在我这里,你们可以带着粮食回去,救你们家里的饥荒。把你们的小兄弟带到我这里来,我便知道你们不是奸细,乃是诚实人。这样,我就把你们的弟兄交给你们,你们也可以在这地作买卖。'"后来他们倒口袋,不料,各人的银包都在口袋里,他们和父亲看见银包就都害怕。他们的父亲雅各对他们说:"你们使我丧失我的儿子:约瑟没有了,西缅也没有了,你们又要将便雅悯带去;这些事都归到我身上了。"流便对他父亲说:"我若不带他回来交给你,你可以杀我的两个儿子。只管把他交在我手里,我必带他回来交给你。"雅各说:"我的儿子不可与你们一同下去,他哥哥死了,只剩下他,他若在你们所行的路上遭害,那

便是你们使我白发苍苍、悲悲惨惨地下阴间去了。"（42章26-38节）

约瑟的哥哥们在返回迦南的途中，留宿一家客店。而他们打开口袋，要拿料喂驴时，竟发现他们籴粮的价银仍在口袋里。众人大吃一惊，以为这下更是难逃骗粮之罪了。

因为事情越发不顺，他们不得不思虑神为何允准此事，开始深省他们以往的罪过。

约瑟的哥哥们回乡后，向父亲陈说其间的遭遇。如实相告他们向埃及宰相提到小弟便雅悯，因而被迫留下西缅作人质，作为领便雅悯去见宰相的保证，还莫名其妙地蒙受骗粮嫌疑等经过，不像从前那样隐瞒、谎报。

看得出他们对这起事件负全部责任的决心：虽是蒙冤而误事，但自己操办的事当由自己来承当。

他们若有欺瞒父亲，逃避责任的打算，也可以谎称"西缅途中被强盗所害，我们在埃及蒙冤被扣，万幸逃命归来"，便无需再去埃及投险。

按目前情况来看，尚不确定能不能把便雅悯带到埃及，就算带去，也难逃欺诈之罪，重返埃及可是以命相搏的冒险行动。尽管如此，约瑟的哥哥们向父亲雅各真情相告，极力要挽救他们的兄弟西缅。

尤其长子流便说:"我若不带他回来交给你,你可以杀我的两个儿子。只管把他交在我手里,我必带他回来交给你。"表示宁愿以两个儿子的性命作保,也要把便雅悯带回来的决然之志,也包含着对自己以往谎瞒父亲称约瑟被恶兽所害,令父亲悲痛的懊悔之意。

听了众子的话,雅各悲哀至极,失了一子,而今又有一子在异地作人质。众子请求父亲容他们带便雅悯去,证明他们的清白并把西缅赎回。雅各却不肯允诺,恐怕便雅悯也一样遭难。

儿子们看着父亲怆然若失的样子,心里十分难过,深深懊悔过往的罪行;深沉的忧虑和愁闷占满心间,他们正在承受着罪的报应。

雅各拒绝流便的恳求,不许他们带便雅悯去。他说万一便雅悯在埃及遭遇约瑟一样的命运,必使他绝望中死去。父亲的态度如此决绝,儿子们别无良策,无可奈何忍受着时间的煎熬。

第五章
带着便雅悯重返埃及

犹大说服雅各容他带去便雅悯
约瑟的哥哥们带便雅悯到埃及
被请到埃及宰相府中担惊受怕的兄弟们
约瑟见到便雅悯，情不自禁而哭
谨遵规矩和道义的约瑟

1. 犹大说服雅各容他带去便雅悯

那地的饥荒甚大。他们从埃及带来的粮食吃尽了,他们的父亲就对他们说:"你们再去给我籴些粮来。"犹大对他说:"那人谆谆地告诫我们说:'你们的兄弟若不与你们同来,你们就不得见我的面。'你若打发我们的兄弟与我们同去,我们就下去给你籴粮;你若不打发他去,我们就不下去,因为那人对我们说:'你们的兄弟若不与你们同来,你们就不得见我的面。'"以色列说:"你们为什么这样害我,告诉那人你们还有兄弟呢?"他们回答说:"那人详细问到我们和我们的亲属,说:'你们的父亲还在吗?你们还有兄弟吗?'我们就按着他所问的告诉他,焉能知道他要说'必须把你们的兄弟带下来'呢?"犹大又对他父亲以色列说:"你打发童子与我同去,我们就起身下去,好叫我们和你,并我们的妇人孩子,都得存活,不至于死。我为他作保,你可以从我手中追讨,我若不带他回来交在你面前,我情愿永远担罪。

我们若没有耽搁,如今第二次都回来了。"(43章1-10节)

席卷埃及乃至整个近东地区的巨大灾荒中,雅各家族也面临饥荒危机。从埃及带来的口粮,没多长时间就用尽了。

雅各别无选择,便吩咐众子再到埃及籴粮,但仍然不允许儿子们带便雅悯去。明知不带便雅悯去,众子可能会陷入困境,却仍叫他们去冒这个险。

犹大便向父亲求情:惟有带便雅悯同去,才能向埃及宰相证明我们不是奸细,并且求粮也有指望。再者上次发现籴粮的价银如数在我们的口袋里,便雅悯若不同去,我们必被定为奸细,难保性命。

此情雅各并非不知,但仍然犹豫不决。他心里苦闷,便责备儿子们,何必告诉那人还有兄弟,否则事情就不至于到这地步。把一切责任都归到他儿子们身上。

对便雅悯的偏宠,使得雅各失了判断力,未能为大局着想,而舍本逐末,只顾便雅悯的安危而忘乎全家人的存亡。舍得让便雅悯同去埃及,赎回被扣押的西缅,救全家度过饥荒,这才是身为家长应有的豁达心胸。

当然,让便雅悯同去是存在很大风险的。但只念一子之安危,而置一家人的生死于不顾,岂是宽仁良善之为。

从这件事我们可以看见雅各的信仰水准。虽在雅博渡口彻底破除自我,向神虚心谦卑,但其内心潜藏的肉体之属性依旧尚存,包括只顾自己的立场、偏狭之爱、归咎于人、求己益处等。按当今圣灵时代的标准，离全然成圣仍有一定的距离。

对父亲的咎责，儿子们觉得委屈，便向父亲解释道：埃及宰相询问我们家族情况，我们不得不如实相告，怎料那人令我们把便雅悯带下来。众子之言不无道理。

但他们若懂得体谅父亲，定会尽量以善美之辞宽慰父亲的心。失去爱子约瑟后，便雅悯成为父亲唯一的慰藉，而今又将面对失丧幼子的风险，父亲的心情会多么痛苦难过！他们若是体贴父亲这般心意，必向父亲诚恳致歉：都是我们不够慎重所致。

这样，情势必得扭转。雅各怪罪儿子们是由于焦急烦闷，其实心里明白错不在儿子们。若是听到儿子们自责赔罪之言，雅各的情绪可能会有所缓解。

一句感人的善美之辞，具有化解矛盾纷争的功效。带着情绪反驳，只能彼此伤害感情，纷争必然越发加剧。人若遭到恶意的攻击而不怀恨，反以善美的恩言感化对方，便能活出与众人和睦的信仰境界。

同样的一句话，内心的动机各有分别；表面上为人着想，实则别有图谋。

雅各众子的辩词，似乎纯粹为整个家族的利益考虑，实则不然。"把一切责任都归到我们身上，又不许我们带便雅悯去，我们如何去求粮食来！"众子心里忿忿不平，向父亲反诉，并央求说：除了容便雅悯去，别无选择。仍旧向父亲隐瞒他们过去在约瑟身上所行的恶，以及所遭的报应。

雅各和他的儿子们互相抱怨，囿于人意的限制，难以达成共识。他们应当先向神求告，寻求神的带领，而他们因现实的思虑，各人专顾自己的立场。而此事又攸关家族的生死存亡，情势急迫，刻不容缓。

于是犹大起来再次说服父亲："我为他作保，你可以从我手中追讨，我若不带他回来交在你面前，我情愿永远担罪。"还说"我们若没有耽搁，如今第二次都回来了"，说明当时情势之紧迫。

2.约瑟的哥哥们带便雅悯到埃及

> 他们的父亲以色列说："若必须如此，你们就当这样行：可以将这地土产中最好的乳香、蜂蜜、香料、没药、榧子、杏仁，都取一点，收在器具里，带下去送给那人作礼物。又要手里加倍地带银子，并将归还在你们口袋内的银子仍带在手里，那或者是错了。也带着你们的兄弟，起身去见那人。但愿全能的神使你们在那人面前蒙怜悯，释放你们的那弟兄和便雅悯回来。我若丧了儿子，就丧了吧！"于是他们拿着那礼物，又手里加倍地带银子，并且带着便雅悯起身下到埃及，站在约瑟面前。(43章11-15节)

雅各听完犹大和其他儿子们的话,不得不回心转念,因为除此之外别无选择,必须抓紧下到埃及籴粮,否则全家性命难保。

雅各允准儿子们带便雅悯到埃及去,并指示他们不要空手前往,要带着由乳香木提炼出来的乳香,和蜂蜜、香料、没药、榧子、杏仁,都取一点,收在器具里,带下去送给那人作礼物。这些都是迦南地的土特珍品。

又吩咐他们将归还在他们口袋内的银子并加倍的银子带去。深谙人心的雅各,试图藉着礼物,转消埃及宰相的怒气,洗脱可能蒙受的罪名。

这与从前雅各为解消哥哥以扫的怨怒所谋的策略相同。这是一种行之有效的方法,正如箴言21章14节所说"暗中送的礼物,挽回怒气"。但这并非出于从神来的智慧,还是来自人意的计谋。

从前雅各在雅博渡口,因全心仰赖神而体验到神扭转人心意的奇妙作工。神将他哥哥以扫因被骗取长子的祝福而积蓄二十年的怨恨,瞬间转消。此时,雅各应该照样向神交托,等候神的作工。

然而雅各此时预备礼物的作法,并非出于靠神的信念,凭的是自己的经验和想法。同样的行动,靠神而行和靠人意而行,会有截然不同的结果。

雅各吩咐众子预备礼物和购粮价银后,说:"但愿全能的神使你们在那人面前蒙怜悯,释放你们的那弟兄和便雅悯回来。我若丧了儿子,就丧了吧!"

如今也有这样的人，遇到某种问题或难处，就试图用尽世俗的方法去化解。等到束手无策，这才带着侥幸心理向神求赖。或者貌似倚靠神，却仍依赖世俗的方法。这在神面前不能得称为信。

真正信靠神的人，必有蒙允的确信和平安在心。雅各用尽了自己的方法，然后才求神的恩典。他最后说"若丧了儿子，就丧了吧"这似乎是在说"我已尽力了，剩下只有听天由命"。

雅各自说信靠神，心里却没有确信和平安，所以才说出这种缺少信心的话。约瑟的哥哥们就照着父亲的吩咐，预备礼物并加倍的价银，又带着便雅悯下到埃及，站在埃及宰相约瑟面前。

3.被请到埃及宰相府中担惊受怕的兄弟们

> 约瑟见便雅悯和他们同来，就对家宰说："将这些人领到屋里，要宰杀牲畜，预备筵席，因为晌午这些人同我吃饭。"家宰就遵着约瑟的命去行，领他们进约瑟的屋里。他们因为被领到约瑟的屋里，就害怕，说："领我们到这里来，必是因为头次归还在我们口袋里的银子，找我们的错缝，下手害我们，强取我们为奴仆，抢夺我们的驴。"他们就挨近约瑟的家宰，在屋门口和他说话，说："我主啊，我们头次下来实在是要籴粮。后来到了住宿的地方，我们打开口袋，不料，各人的银子分量足数，仍在各人的口袋内，现在我们手里又带回来了。另外又带下银子来籴粮，不知道先前谁把银子放在我们的口袋里。"家宰说："你们可以放心，不要害怕，是你

们的　神和你们父亲的神赐给你们财宝在你们的口袋里。你们的银子我早已收了。"他就把西缅带出来交给他们。家宰就领他们进约瑟的屋里，给他们水洗脚，又给他们草料喂驴。(43章16-24节)

约瑟见到跟随哥哥们来的便雅悯，吩咐家宰领他们到他府中，预备筵席，好与他们一起吃饭。约瑟的哥哥们莫名被请到埃及宰相府中，因不知何故，不由心生猜疑和不安。

尤其担心因上次在他们口袋里发现的银子而蒙冤遭害。更因摸不清领他们到宰相府的用意而忧心忡忡，就私下议论说："必是因为头次归还在我们口袋里的银子，找我们的错缝，下手害我们，强取我们为奴仆，抢夺我们的驴。"

他们局促不安地向约瑟的家宰申辩：他们实在不知先前谁把购粮的银子放在他们口袋里，于是这次把那些银子拿来如数归还，另外又带了籴粮的价银。

约瑟的哥哥们怯怯懦懦地为自己辩解，这与约瑟蒙冤下监而坦然无惧并不诉冤的样式形成鲜明的对比。呈现出两者信仰水准的极大反差。

约瑟在法老的内臣波提乏府内作家业总管时，在神面前未曾犯罪，蒙冤遭害时，能够心怀坦荡，无所惧怕。因他相信公义的神必显明他的义，并引领他前面的道路，而哥哥们却与之相反。他们在神面前不能坦然无惧，不是单因在约瑟身上所行的事，还因其信仰上的欠缺。

约翰一书5章18节说"我们知道凡从神生的，必不犯罪；从神生的，必保守自己（有古卷作"那从神生的必保护他"），那恶者也就无法害他"，无罪的人无论何时何境都坚信神必保守。面对试炼，他们也能专心信靠神的爱，定睛仰望神赐福的应许。而约瑟哥哥们在面临试炼患难时，还有恐惧在心。

约瑟的家宰安抚忧惧不安的众人说："你们可以放心，不要害怕，是你们的神和你们父亲的神赐给你们财宝在你们的口袋里。你们的银子我早已收了。"

宰就把在押的西缅带出来交给他们，又领他们进屋里，给他们水洗脚，又给他们草料喂驴。家宰待他们分外地亲切和善，与他们所忧虑的完全相反。

4. 约瑟见到便雅悯，情不自禁而哭

> 他们就预备那礼物，等候约瑟晌午来，因为他们听见要在那里吃饭。约瑟来到家里，他们就把手中的礼物拿进屋去给他，又俯伏在地向他下拜。约瑟问他们好，又问："你们的父亲，就是你们所说的那老人家平安吗？他还在吗？"他们回答说："你仆人我们的父亲平安，他还在。"于是他们低头下拜。约瑟举目看见他同母的兄弟便雅悯，就说："你们向我所说那顶小的兄弟就是这位吗？"又说："小儿啊，愿神赐

恩给你！"约瑟爱弟之情发动，就急忙寻找可哭之地，进入自己的屋里，哭了一场。他洗了脸出来，勉强隐忍，吩咐人摆饭。

（43章25-31节）

家宰告诉约瑟的哥哥们，待到晌午宰相要来和他们一起吃饭。约瑟来到家里，他们就把精心预备的礼物奉上，又俯伏在地向宰相下拜。他们极尽谦辞卑礼，惟恐有所不致，要讨得宰相的恻悯。

第二次见到哥哥们，约瑟先问父亲雅各的情况："你们的父亲，就是你们所说的那老人家平安吗？他还在吗？"上次见面时得知父亲安在的消息，之后又过了些时日，不知此时父亲是否安然无恙。

与疼爱自己的父亲阔别二十余载，其思念之深切，可想而知。然而，约瑟克制自己的感情，仍旧隐瞒自己的真相，一心顺着神的感动和带领而行。关爱和服侍家人，是人当尽的本分（提摩太前书5章8节）。但真正的服侍在于，抛弃一切偏情私欲，专心顺着神的话语而行。

约瑟问父亲的安，哥哥们回答说："你仆人我们的父亲平安，他还在。"他们自称"你仆人"，卑微地向约瑟低头下拜。

约瑟获悉父亲平安健在，就定睛他同母的兄弟便雅悯说："你们向我所说那顶小的兄弟就是这位吗？"自被卖到埃及为奴，到任埃及宰相，历经十三年，后经七个丰年，时值第二个荒年（创世记

45章6节），便可知这是约瑟时隔二十二年与他的兄弟重逢。

见到日思夜想的兄弟便雅悯，约瑟是何等心境？离别时便雅悯还是一个年幼的童子，时已长大成人出现在约瑟眼前。未能陪伴和护佑初生丧母的便雅悯而留下的心中遗恨，使得约瑟对便雅悯更是怜爱有加。

约瑟望着便雅悯说："小儿啊，愿神赐恩给你！"浓浓深情由心而发。哥哥们若有敏锐的灵性，绝不会错过约瑟这话。因为埃及宰相口出此言，实非寻常。

约瑟的哥哥们初见埃及宰相时，从他口中听到"我是敬畏神的"，其实这是一种蓄意的暗示，而他们却毫无察觉。究竟何因？

哥哥们当时忧心忡忡，只有摆脱危机的念头。心中全是忧惧和疑虑，岂能顾及宰相言中之意。他们因受肉体意念的阻隔，全无灵性觉悟。

当人偏执于一念时，即使给出明确的答案，也不得醒悟；暗示或提醒，甚至直言相告均无效验。这样，受肉体意念支配的人，很难获得属灵的感悟。

面对同样的内容，他们因囿于肉体的想法，往往产生误解或论断。肉体的意念产生于心中所存的非真理，是拦阻人领悟神旨意的一大要因。

见到兄弟便雅悯，约瑟一直隐忍的爱弟思亲之情发动，就急忙寻找可哭之地，进入自己的屋里，哭了一场。这是与弟弟久别重逢的感慨，尤其是心中无尽的感恩之情所催发的。

感恩弟弟虽无哥哥的陪伴而得以安然成长，并感恩时隔十七年能够与之重逢。约瑟以感恩的心看待一切的事，不论好景还是逆境，一心仰望神在他身上的美意，时常向神献上感恩的馨香。

5.谨遵规矩和道义的约瑟

> 他们就为约瑟单摆了一席，为那些人又摆了一席，也为和约瑟同吃饭的埃及人另摆了一席，因为埃及人不可和希伯来人一同吃饭，那原是埃及人所厌恶的。约瑟使众弟兄在他面前排列坐席，都按着长幼的次序，众弟兄就彼此诧异。约瑟把他面前的食物分出来，送给他们，但便雅悯所得的比别人多五倍。他们就饮酒，和约瑟一同宴乐。(43章32-34节)

约瑟洗了脸出来，勉强克制情绪，与兄弟们一同吃饭。用人为约瑟，为他的哥哥们分别摆了一席，又为埃及人另摆了一席。因为埃及人忌讳与希伯来人一同吃饭。

单从这一情节中也可以看出，约瑟以美好的品性和德行与埃及人和谐相处。此话怎讲？

埃及人都知道约瑟是希伯来人。尽管约瑟身居仅次于君王的高位，埃及人可能仍避讳与约瑟一同坐席。对此约瑟若是特别在意，就仗着宰相的权柄无视他们的常规而行，必导致两相不睦。

但约瑟并不以权压人，改变埃及人的习俗。承认和尊重他们的人文习俗和宗教规矩，对其人文习俗和宗教礼仪采取宽和容留的姿态。而他作为信神的人，亦不与他们的宗教信仰妥协或行神眼中看为可憎的事。

他一心活出神的荣耀，证明神的全知全能。由此，埃及人承认约瑟所信奉的神，并信赖他口里所出的一切话。

假如约瑟是个先知，担负着向埃及人见证神的使命，会怎么做呢？一定是不以性命为念，放胆宣扬神的救恩。即使遭受埃及人传统观念或宗教迷信的排挤或胁迫也在所不辞。

然而约瑟当时并无向埃及传道的使命，况且也没有那个必要，因而以宽容为怀与埃及人和谐相处。埃及人也被约瑟的体贴、宽容和谦让所感化，无人对他提防或厌嫌，反而从心底里敬仰和爱戴。

约瑟按长幼的次序给兄弟们安排席位。还未认出埃及宰相是谁的兄弟们，对埃及宰相深谙他们的内情感到诧异。但他们仍未能往深里思考，只是想："宰相如何知道我们兄弟的排位？"

那么，约瑟因何按长幼的顺序安排兄弟们入席？是要遵照次序和伦理来服侍兄弟们。并非安排同母的兄弟便雅悯，或关系较好的哥哥们坐他身边，而是遵循位分次序和人伦礼节。约瑟能对哥哥们作出如此殷勤的服侍，是他心中毫无怨恨情绪的明证。约瑟把他面前的食物分出来，送给他兄弟们。

兄弟们终于安下心来，感恩宰相的盛情款待。他们开怀畅饮，与宰相一同宴乐。约瑟特地将比别人多五倍的食物分给便雅悯，这是为什么呢？

念到别离后的二十余年，虽是迫不得已，作为哥哥没能为弟弟做过什么；念弟弟长年在同父异母的兄弟之间生活，深感怜悯和亏欠。

约瑟很想为弟弟弥补这一亏欠。便将多五倍的食物赐给弟弟，以表此心。不是三倍，也不是五倍以上，而正好是五倍，是因他心里以为足矣。不为肉体的私情所动，而照神所赐的感动而行。

这里又包含着"神照各人所行的报应各人"属灵蕴意。兄弟中唯有便雅悯没有参与卖约瑟为奴的事件。当然他当时没有与哥哥们同在，即便在场，他也绝不会合伙卖他同母的兄弟。

独有便雅悯没有参与此恶，于是神把他分别出来赐福与他。故我们应当远离恶事，免设罪墙，这是至关重要的。

# 拓展分享三

饶恕的阶段

饶恕的词义指"原谅过错、冒犯或失礼之处，不与计较"。圣经上的饶恕之蕴意，大体而言是：饶恕所有的人，甚至饶恕那些常人所不能饶恕的人。

有一次彼得问耶稣说："主啊，我弟兄得罪我，我当饶恕他几次呢？到七次可以吗？"世人的饶恕是有限度的，而神的饶恕则不同。耶稣说："不是到七次，乃是到七十个七次。"七是代表完全的数，"七十个七次"，表示无限的饶恕，完全的饶恕。

饶恕的程度各有分别。世人所谓的饶恕，往往只在表面上，却把怨恨情绪埋在心底。然而神的饶恕体现在饶恕那些不可饶恕的人事，而且不再记念。神所指定的爱，不止于饶恕的层次，这仅仅爱的开端，由饶恕可以扩展出更为高深的爱的境界。

1.出于勉强的饶恕

出于勉强的饶恕,是指表面上表示饶恕,心里却不甘。由于怨恨尚存,勉强摆出饶恕的样子。对位分高的人或有所求助的人,可以出于利益上的考虑而表示让步或谅解,而对位分低的人或无关自己利益的人,就不同了:觉得没必要隐忍,一吐为快,宣泄怨怒。这种出于勉强的饶恕,不能算是真正的饶恕,反而当属"假冒为善"。

2.碍于真理的饶恕

这种饶恕,实非诚心的饶恕,而是为了遵行真理而作出刻意的饶恕;只是努力饶恕,而做不到由衷的饶恕。因心里尚未成善,所以只能局限在自己的标准里,被触碰了底线,就按捺不住,宣泄怨怒。但只要持守遵行真理的意志,付出锲而不舍的努力,终必能达到从心里饶恕人的境界。

3.发自心底的饶恕

受到伤害,却不追咎而予以饶恕。心中毫无反感,仍以怜恤之心,予以体谅和宽恕。尽管如此,对方却仍不知感恩,反而提出无理要求时,便觉得太过分,难以容忍。因为觉得自己能够饶恕这等人,已算是仁至义尽,不能进一步施恩与人。

4.以无限的怜恤超越饶恕施恩与人的境界

歌罗西书3章13、14节说"倘若这人与那人有嫌隙，总要彼此包容，彼此饶恕；主怎样饶恕了你们，你们也要怎样饶恕人。在这一切之外，要存着爱心，爱心就是联络全德的"。这种境界体现在：能够饶恕那些常人难以饶恕的人，更凭着爱心，给予体贴和关照。即使对方一再求助，也仍慷慨施恩相助——除非有圣灵的拦阻，甚至能够舍而再舍，心中毫无反感或厌嫌。一心盼望对方早日拆毁罪墙，得与神和好，成为合神心意的人。

想到神赐予我们的恩典与慈爱，我们便没有不能饶恕的人。不过，一味地饶恕并非真善之举。人若得了屡次的饶恕，却仍无动于衷，不肯努力悔改转变，反使罪墙更加牢固，与神离得更远。因此，对这样的人不能采取一味的饶恕，而有必要等候守望，直至诚心懊悔归正，预备可蒙赦免和悦纳的心灵。

第六章

约瑟用善的智慧改变哥哥们

将我的银杯和银子,一同装在他的口袋里
约瑟试验兄弟之间的友爱
犹大为救便雅悯而央求

1.将我的银杯和银子,一同装在他的口袋里

约瑟吩咐家宰说:"把粮食装满这些人的口袋,尽着他们的驴所能驮的,又把各人的银子放在各人的口袋里,并将我的银杯和那少年人籴粮的银子,一同装在他的口袋里。"家宰就照约瑟所说的话行了。天一亮就打发那些人带着驴走了。他们出城走了不远,约瑟对家宰说:"起来!追那些人去,追上了就对他们说:'你们为什么以恶报善呢?这不是我主人饮酒的杯吗?岂不是他占卜用的吗?你们这样行是作恶了。'"家宰追上他们,将这些话对他们说了。他们回答说:"我主为什么说这样的话呢?你仆人断不能作这样的事。你看,我们从前在口袋里所见的银子,尚且从迦南地带来还你,我们怎能从你主人家里偷窃金银呢?你仆人中,无论在谁那里搜出来,就叫他死,我们也作我主的奴仆。"家宰说:"现在就照你们的话行吧!在谁那里搜出来,谁就作我的奴仆,其余的都没有罪。"于是他们各人急忙把口袋卸在地下,各人打开口袋。家宰就搜查,从年长的起,到年幼的为止,那杯竟在便雅悯的口袋里搜出来。他们就撕裂衣服,各人把驮子抬在驴上,回城去了。(44章1-13节)

约瑟款待兄弟们,然后吩咐家宰把粮食装满他们的口袋,暗将银子归放各人的口袋里,并将自己的银杯装在便雅悯的口袋里。天一亮,兄弟们满载着粮食,带着惬意的心情踏上了返乡的路。

一反起初的忧惧和恐虑,此行一帆风顺,诸事平安稳妥;西缅安然获释,粮食满载而归。然而喜乐是暂时的,他们离了城没走多远,宰相的家宰急忙追赶而来,斥责他们说:"你们为什么以恶报善呢?"并称他们偷了宰相饮酒的杯。众人听着一头雾水。

本以为一切安好,不料突然又遭到偷窃嫌疑,兄弟们惊慌失措,急忙辩解说:"我们从前在口袋里所见的银子,尚且从迦南地带来还你,我们怎能从你主人家里偷窃金银呢?"并发誓:"你仆人中,无论在谁那里搜出来,就叫他死,我们也作我主的奴仆。"意思是若真有此事,不仅行窃的人要承当其罪,他们也愿意负连带责任。而家宰声明只拿行窃之人问罪,其余的都无关。

兄弟们急忙把口袋卸在地下,家宰就从年长的到年幼的,逐一搜查。不料那银杯竟在便雅悯的口袋里,兄弟们都大惊失色。

犹大以自己的性命作保,勉强获得父亲的许诺,才得以将便雅悯带到埃及,而当下却不能照着起誓带他回到父亲身边。"人赃俱在",兄弟们无奈返回城中,复见埃及宰相。

2.约瑟试验兄弟之间的友爱

> 犹大和他弟兄们来到约瑟的屋中,约瑟还在那里,他们就在他面前俯伏于地。约瑟对他们说:"你们作的是什么事呢?你们岂不知像我这样的人必能占卜吗?"犹大说:"我们对我主说什么呢?还有什么话可说呢?我们怎能自己表白出来呢?神已经查出仆人的罪孽了,我们与那在他手中搜出杯来的都是我主的奴仆。"约瑟说:"我断不能这样行,在谁的手中搜出杯来,谁就作我的奴仆;至于你们,可以平平安安地上你们父亲那里去。"(44章14-17节)

众兄弟被带到宰相府中,见到宰相仍在那里。他们就在宰相面前俯伏于地。约瑟故作严厉地审问他们说:"你们作的是什么事呢?"

银杯的确在便雅悯的口袋里搜出,兄弟们无言以驳。但因想到在家苦等小儿子的父亲,他们无论如何也要挽救便雅悯。

犹大开口向约瑟说:"我们对我主说什么呢?还有什么话可说呢?我们怎能自己表白出来呢?神已经查出仆人的罪孽了,我们与那在他手中搜出杯来的都是我主的奴仆。"他喟叹冤情难解,承认这一切都是神对他们罪孽的报应。

他们想起从前不顾约瑟的哀求,将约瑟卖给商人的恶行。当他们蒙受冤屈时,才体念到约瑟被卖为奴时的心情,并深刻地醒悟到"所行必有其报"的公义。

但醒悟、后悔为时已晚,木已成舟,无可挽回,照所起的誓,他们将终身作埃及宰相的奴仆。

然而宰相意外地表示只要被搜出银杯的人,即便雅悯作他的奴仆,其余的人可以平安返乡。看看此时哥哥们所作出的反应如何。

若是从前,他们当然会感到庆幸:兄弟们险些都沦为奴仆,而结果只有便雅悯一人被扣为奴,真是万幸!虽不能照所起的誓把便雅悯带回去,但只要编造谎言欺瞒他们的父亲,就可以了事。而此时兄弟们的态度与以往截然不同。

3. 犹大为救便雅悯而央求

> 犹大挨近他,说:"我主啊,求你容仆人说一句话给我主听,不要向仆人发烈怒,因为你如同法老一样。我主曾问仆人们说:'你们有父亲、有兄弟没有?'我们对我主说:'我们有父亲,已经年老,还有他老年所生的一个小孩子。他哥哥死了,他母亲只撇下他一人,他父亲疼爱他。'你对仆人说:'把他带到我这里来,叫我亲眼看看他。'我们对我主说:'童子不能离开他父亲,若是离开,他父亲必死。'你对仆人说:'你们的小兄弟若不与你们一同下来,你们就不得再见我的面。'我们上到你仆人我们父亲那里,就把我主的话告诉了他。我们的父亲说:'你们再去给我籴些粮来。'我们就说:'我们不能下去,我们的小兄弟若和我们同往,我们就可以下去,因为小兄弟若不与我们同往,我们必不得见那人的面。'你仆人我

父亲对我们说：'你们知道我的妻子给我生了两个儿子，一个离开我出去了'。我说：'他必是被撕碎了，直到如今我也没有见他。现在你们又要把这个带去离开我，倘若他遭害，那便是你们使我白发苍苍、悲悲惨惨地下阴间去了。'我父亲的命与这童子的命相连，如今我回到你仆人我父亲那里，若没有童子与我们同在，我们的父亲见没有童子，他就必死。这便是我们使你仆人我们的父亲，白发苍苍、悲悲惨惨地下阴间去了。因为仆人曾向我父亲为这童子作保，说：'我若不带他回来交给父亲，我便在父亲面前永远担罪。'现在求你容仆人住下，替这童子作我主的奴仆，叫童子和他哥哥们一同上去。若童子不和我同去，我怎能上去见我父亲呢？恐怕我看见灾祸临到我父亲身上。"（44章18-34节）

在兄弟们眼里，约瑟"如同法老一样"。约瑟从法老授权统管一切国事，其权柄威严好比拥有绝对权力的法老。犹大再次以极其卑微的言辞，讲述事情的原委。

先委婉地从宰相的提问说起，意在唤起宰相的记忆，就是宰相怀疑他们是奸细，为了证明自己的清白，他们不得不将小弟带到埃及来见宰相，并提到他们的父亲爱便雅悯如命，好不容易才说服他带便雅悯来此。

年迈的父亲若见没带童子回来，必痛不欲生，抑郁而亡。并表示宁愿替童子作奴，恳求宰相允准便雅悯回到父亲身边。话里满含着对便雅悯的疼怜，要向父亲履约的决心，对父亲安危的担忧。

犹大此时的态度，是兄弟们更新转变的一个缩影，与昔日卖年幼的约瑟为奴，又欺瞒父亲企图逃罪的形象迥然不同。之前留下西缅而回乡时很痛苦，当下要留下便雅悯走，良心上更难过去。

欺瞒父亲的心、不顾兄弟之安危，只念一己之利的心，已是荡然无存。犹大虽然明知为奴的命运有多苦，但仍表示情愿替便雅悯承受一切。

约瑟藉着上头来的智慧和明哲，引领哥哥们彻底醒悟以往的罪而悔改归正。这才是真正的爱，是引人得生的智慧。若没有这一过程会怎样？哥哥们也许终身不得拆毁这一罪墙，甚至不知其罪有多重。时下虽受窘迫困苦，但借以能够向神认罪悔改，蒙约瑟的饶恕和恩免，岂有比这更大的福气！

从前他们专顾自己的益处，嫉恨自己的骨肉兄弟。虽然约瑟将哥哥们的恶行报给父亲，惹起他们的怨恨。但他们居然蓄谋要向约瑟下毒手，最终卖之为奴，甚至欺哄父亲说约瑟被恶兽给吃了。他们将这样的大恶掩盖了二十余年。

当然他们当中也有受良心谴责的，但接受神的熬炼之前，他们并没有具备承认自己的恶行、懊悔改过的心志。从他们身上看不到兄弟之间的友爱和对父亲雅各的敬孝之为。

若不经过这场熬炼，便使他们成为以色列民族的祖先，将会衍生怎样的后果？由此形成的以色列民族，必充满嫉妒纷争，相互钳制，很难达成合一同心。面对困难，各人专顾己利，不肯作出牺牲和让步。

而此时，他们已改过自新，懂得谦让和牺牲。别人获益更多，蒙爱更深，也不嫉嫌抱怨，反而互相理解宽容，一心追求和睦友善。同时学会了由衷地孝敬父亲雅各，规规矩矩地按次序而行。

假如约瑟从起初表明自己的身份，体贴肉体的私情而行，就不会有哥哥们此时的改变。而约瑟以节制和忍耐，恒心顺着神的感动而行，终以引领哥哥们悔过自新。

约瑟看着哥哥们彻底悔悟其过，心里特别高兴。尤其看到犹大表态甘为便雅悯牺牲自己，胸中那抑制已久的感情，快要暴发出来。他感觉时候已到。就是显明自己，并与兄弟们尽享久别重逢之喜悦的时候到了。

这样，神家的事都有定期。顺着神的带领而行，必结丰盛的美果。然而人们往往注重眼前的利益，体贴人情私欲，而疏忽了神的定期，以至半途而废，前功尽弃。

从约瑟身上，我们能够领悟到"等候神的定期"和"顺着神的带领而行"的重要性。"定期"是按公义而设定的。若是哥哥们的悔改不够充分，或缺少真诚，神就不会感动约瑟的心。

由此可知，"定期"与人之所行息息相关。哥哥们若依旧不肯悔改，各人专顾自己的安危，那么"定期"便会迟延，反之，他们若是初到埃及时就已达到充分的悔改，合神的心意，那么"定期"便会相对提前。

Joseph

第七章

我是你们的兄弟约瑟，要赶紧地将我父亲搬到我这里来

不要因为把我卖到这里自忧自恨

神使我作埃及全地的宰相

把你们的孩子和妻子，并你们的父亲都搬来

以色列说：趁我未死以先，我要去见他一面

1.不要因为把我卖到这里自忧自恨

> 约瑟在左右站着的人面前情不自禁,吩咐一声说:"人都要离开我出去!"约瑟和弟兄们相认的时候,并没有一人站在他面前。他就放声大哭,埃及人和法老家中的人都听见了。约瑟对他弟兄们说:"我是约瑟,我的父亲还在吗?"他弟兄不能回答,因为在他面前都惊惶。约瑟又对他弟兄们说:"请你们近前来。"他们就近前来,他说:"我是你们的兄弟约瑟,就是你们所卖到埃及的。现在不要因为把我卖到这里自忧自恨,这是神差我在你们以先来,为要保全生命。"(45章1-5节)

约瑟心情激切,难以克制,就吩咐周围的人都出去。见人都退去,就向兄弟们表露自己就是约瑟,随后放声大哭。与兄弟们相认,埋藏在心底的往事一一浮现在脑海中。没有委屈,没有哀怨,只有对作他随时的同在、护佑和引领的神无尽的感恩。念到神因着慈爱所赐的福分,约瑟不禁热泪奔流。

时刻萦绕心中、难以排遣的对父亲和兄弟的离情别绪，尤其久藏心底对便雅悯的疼怜和牵挂……此时此刻，约瑟百感交集，情切难抑，无需再忍，尽情宣泄。面对兄弟们放声大哭，"埃及人和法老家中的人都听见了"。

　　与兄弟们相认之前，约瑟吩咐侍从都离开他出去。这又是约瑟豁达宽仁品性的真实写照。约瑟待下人从不居高临下，颐指气使，而常以慈仁之怀，给予细致的关照。从而得到侍从们由衷的敬重和爱戴并贴心周全的服侍。

　　假如约瑟在侍从们在场的时候情不自控，放声而哭，侍从们定会感到惊慌，无所适从。于是约瑟吩咐他们出去，以免他们受窘。约瑟非但不轻看下人，反而处处为他们着想，给予悉心的关照。

　　约瑟叫侍从们出去的另一个原因，是考虑到哥哥们的立场。当哥哥们得知这位埃及宰相正是他们的弟弟约瑟时，其震撼之大，可想而知。原以为约瑟就算活着也是为人之奴，哪料他此时竟然就在眼前，而且是以埃及宰相的身份。

　　约瑟的哥哥们定会一时心慌意乱，不知该如何对待约瑟；当以埃及宰相拜之，还是以兄弟关系处之？左右为难。若是侍从们在场，他们便顾虑加增，更是无所适从，彼此恐难能够开怀畅谈。

　　约瑟体贴哥哥们的处境，安抚他们的紧张情绪，以便能够在和谐温馨的氛围中分享兄弟重逢之喜悦。

约瑟先问父亲的安。哥哥们惊惶之余，不知该说什么。此刻他们的心情十分矛盾而复杂。

不明埃及宰相的真相之前，他们深感茫然和绝望，看来"一切都完了"。而得知掌握他们生死命运的这位埃及宰相竟是他们的兄弟约瑟时，还有了些安慰感，企望情势有所扭转。

然而，他们转念又想起自己在约瑟身上所行的事，又有不安和恐惧袭上心头，"约瑟会不会报复我们？"这是他们所担心的。

约瑟晓得他们不安的心思，就叫他们近前来，安抚他们说："我是你们的兄弟约瑟，就是你们所卖到埃及的。现在不要因为把我卖到这里自忧自恨。"这里"就是你们所卖到埃及的"，并非抱怨之言，而是意在唤起哥哥们尘封的记忆，能够辨识出他历经岁月的变迁而改变的面容。

一番慰藉之后，接着说"这是神差我在你们以先来，为要保全生命"，表示一切尽在神的旨意当中。这是多么感人的言辞！如此善美之言，惟能出于圣洁无恶的至善心灵。

我们若有一双感恩的眼目，就可以凡事寻悟到神善美的旨意，从而对神的感恩之情越发加深。为此务要除去心中一切的恶，得成圣洁。

约瑟若是无心饶恕他的哥哥们，就很难得悟神善美的旨意。因仇恨和怨怒占满心间，岂能悟出神差遣他到埃及，并立他作埃及宰相的深意。

而约瑟不仅饶恕他的哥哥们，且专心仰赖全能的神。始终凭信仰望神的引领，将自己的生命全然向神交托，从而能够得悟神善美的旨意，并将神的旨意告诉他的哥哥们。不仅安抚哥哥们不要为过去的事自忧自恨，更是勉励他们说：因着那件事迎来了现今的祝福。显然超乎饶恕众人的境界，活出了用积极的善行感化人心的崇高之境。

换了常人，定会对曾经蓄谋杀害他，后又卖作人奴的哥哥们怀恨，甚至暗藏复仇之念。约瑟却不是这样，他从心底里饶恕他的哥哥们，且以至善的情怀，给予抚慰和感化。正由于如此，神拣选约瑟作为成就祂宏大旨意的器皿。

2.神使我作埃及全地的宰相

> "现在这地的饥荒已经二年了，还有五年不能耕种，不能收成。神差我在你们以先来，为要给你们存留余种在世上，又要大施拯救，保全你们的生命。这样看来，差我到这里来的不是你们，乃是神。他又使我如法老的父，作他全家的主，并埃及全地的宰相。你们要赶紧上到我父亲那里，对他说：'你儿子约瑟这样说：神使我作全埃及的主，请你下到我这里来，不要耽延。你和你的儿子、孙子，连牛群羊群，并一切所有的，都可以住在歌珊地与我相近，我要在那里奉养你。因为还有五年的饥荒，免得你和你的眷属，并一切所有的，都败落了。'况且你们的眼和我兄弟便雅悯的眼都看

见是我亲口对你们说话。你们也要将我在埃及一切的荣耀和你们所看见的事,都告诉我父亲,又要赶紧地将我父亲搬到我这里来。"于是约瑟伏在他兄弟便雅悯的颈项上哭;便雅悯也在他的颈项上哭。他又与众弟兄亲嘴,抱着他们哭,随后他弟兄们就和他说话。(创世记45章6-15节)

约瑟向惊慌失措的哥哥们,详细说明神的旨意。当时埃及七个丰年过了,正值第二个荒年,往后还要面对五年的饥荒。周边的邦国也已绝了粮食,纷纷到埃及籴粮。雅各的家族也不例外。

持续五年的大荒灾,雅各家族也同样经受不起。就算幸存下来,在荒废的土地上重新兴起家业也是很难的。参透万事的神,事先差约瑟到埃及去,预备拯救雅各家族的道路。

将雅各立为以色列的先祖,通过他的十二个儿子兴起选民以色列,这是神的计划和旨意。神以超乎人类的智慧与能力,成就此事。祂将约瑟差到埃及去,使他成为埃及全地的宰相。

一个从外邦拐来的奴隶,在很短的时间内一跃登上大国埃及的宰相,按人的常识,这几乎是不可能的。然而,神按祂的智慧能力,成就了这件事。而且完全合乎公义。约瑟一心信靠神善美的旨意,以感恩的心忍受一切的试炼,最终成为埃及全地的宰相,以至更深层地领悟到神的心怀意旨。

约瑟向哥哥们细细地讲述神的旨意,并阐明神向着他们的慈爱:"神差我在你们以先来,为要给你们存留余种在世上,又要大施拯救,保全你们的生命。这样看来,差我到这里来的不是你们,乃是神。他又使我如法老的父,作他全家的主,并埃及全地的宰相。"

意思说:神早先差他来到埃及,使他得居尊位,旨在救父亲雅各和他的家眷于重大饥荒中。而更大旨意是要从雅各家族兴起一个民族,需要借助埃及这一强国来保护他们免受其他种族的种种威胁;他们能够在饥荒中得以生存,将来形成相当规模的族群,埃及乃是最为合适的环境。

诚然敬畏并信靠神的人,在任何试炼中都不忘寻求神的旨意,而且默然守望和等候神的显应。这样的人,神必因他成就其善美的旨意,尽显祂的荣耀。

约瑟也因凭信仰赖神的旨意,在试炼中能够感恩称谢,默然等候神,终使荣耀归与神。神使约瑟得尊荣美誉,约瑟又将一切荣耀归与他的神。这一点我们尤其值得效法。

信主的人当中有这样的人,喜欢标榜自己,窃取神的荣耀。这等人是不配作神的工。就算为神所用,也极易变质,败坏,终将被神弃绝。因此,我们务要警惕"有所成就"的自满心态(哥林多前书10章12节),而当持守"我只是神显祂荣耀的器皿"这种谦卑品志(加拉太书1章24节)。

约瑟身为一国之宰相,明白获此成就,非因自己才华出众。在他毫无标榜自己的念想，故不愿受人的荣耀，一心求望神的旨意，无论作什么，都为荣耀神而行。他想要将父亲和他所有家眷领到埃及来奉养，也非因肉体的私情或欲念。

当然约瑟愿意与自己的亲属分享神赐予他的福分。这更不是出于私欲，乃旨在使自己的家族在这一恩福中，顺利发展成一个大族，成就神的旨意。从中我们当吸取的教训是：善为德行、恩施分享固然是好，但更重要的是内在动机——是体贴私情，还是顺着神意。

为了使神的旨意完满成就，约瑟嘱咐哥哥们赶紧上到父亲那里，将神立约瑟作埃及的宰相和他们在埃及所见所历都告诉他父亲，又要赶紧地将父亲搬到埃及来。荒年往后还将持续五个年头，约瑟愿将父亲和家人都安置在自己身边，以便能够随时悉心照料看顾。

约瑟说完，与他兄弟便雅悯交颈相抱，涕泪滂沱。积压多年的相思爱怜之情，瞬间喷涌而出。他又与众兄弟亲嘴，相抱而哭。因为从心底里宽恕，心中毫无遗恨，反而对兄弟们的爱怜更加深切。哥哥们看着约瑟的美行，心被恩感，更是悔叹他们过往的恶行，再度愧然自责，深深懊悔，同时对约瑟的感恩之情充满心间。

3. 把你们的孩子和妻子，并你们的父亲都搬来

> 这风声传到法老的宫里，说："约瑟的弟兄们来了。"法

老和他的臣仆都很喜欢。法老对约瑟说:"你吩咐你的弟兄们说:'你们要这样行:把驮子抬在牲口上,起身往迦南地去。将你们的父亲和你们的眷属都搬到我这里来,我要把埃及地的美物赐给你们,你们也要吃这地肥美的出产。现在我吩咐你们要这样行:从埃及地带着车辆去,把你们的孩子和妻子,并你们的父亲都搬来。你们眼中不要爱惜你们的家具,因为埃及全地的美物都是你们的。'"(创世记45章16-20节)

约瑟的哥哥们来到埃及的风声传到法老的宫里,法老和他的臣仆们都为之高兴。说明约瑟在当时不仅受法老绝对的信任和喜爱,同时也博得朝廷众臣的尊敬和爱戴。

法老欣然吩咐约瑟把他的父亲和一家眷属都搬到埃及来,并表示要将埃及最为肥美之地赐给他们为业。而且吩咐他们要从埃及地带着车辆去,去把他们的父亲和他们的孩子和妻子都搬来,并说"你们眼中不要爱惜你们的家具"。

这里"家具"是指包括各种生活设施,以及各种生产工具、器械在内的一切家当。"不要爱惜你们的家具",意思是:埃及全地的美物都是你们的,何必枉费劳力从远处搬来。法老对约瑟的器重可见一斑。

对法老而言,约瑟是救埃及于危难之中的大恩人。若没有约瑟,埃及当下正处在大饥荒的痛苦煎熬之中。在法老看来约瑟是个

"大福星"。法老想要以这种最高的待遇来回报约瑟的大恩。

一方面还考虑到,阖家团圆会使约瑟心得宽慰,心情愉悦,更加专心致力于国事;而且约瑟有属天的智慧,其血缘关系的兄弟们也必有超群的才智,一定会有利于他们的国家。

约瑟能够得到法老绝对的信任和喜爱,不单是因给埃及带来了恩福,更是因其卓绝的品性和诚实的为人。他虽拥有仅次于法老的地位和权柄,却从不高踞其上,随意私用。

他始终忠信本分,秉公无私,尊荣归给法老。而且处事灵明,毫无差错,办事的果效尽都超乎法老的所期所望。在约瑟的领导下,埃及在重大饥荒中得以保持和平安定的局面,王权巩固,国家富强。

由此,法老全然信靠约瑟,将绝对的权力赋予他。众臣也诚然信服和尊敬约瑟。约瑟始终对人以谦和宽仁,体贴关照,以礼相待,从不侮慢轻视,随意待之。

约瑟以爱遮掩人的过失,容对头于宽仁之怀,力求与众人和睦,自然博得众臣的尊敬和拥戴。

法老和众臣一听约瑟的哥哥们来了,皆大欢喜。反映出当时和睦融融的朝廷氛围。谦卑,使约瑟得着极大的尊荣(箴言18章12节);善的智慧,使约瑟在外邦国度有口皆碑,天下归心。

4.以色列说：趁我未死以先，我要去见他一面

> 以色列的儿子们就如此行。约瑟照着法老的吩咐给他们车辆和路上用的食物，又给他们各人一套衣服，惟独给便雅悯三百银子，五套衣服；送给他父亲公驴十匹，驮着埃及的美物；母驴十匹，驮着粮食与饼和菜，为他父亲路上用。于是约瑟打发他弟兄们回去，又对他们说："你们不要在路上相争。"他们从埃及上去，来到迦南地他们的父亲雅各那里，告诉他说："约瑟还在，并且作埃及全地的宰相。"雅各心里冰凉，因为不信他们。他们便将约瑟对他们说的一切话都告诉了他。他们父亲雅各，又看见约瑟打发来接他的车辆，心就苏醒了。以色列说："罢了！罢了！我的儿子约瑟还在，趁我未死以先，我要去见他一面。"（创世记45章21-28节）

约瑟照法老的吩咐，打发兄弟们带着车辆和旅途中所需用的食物以及各种珍贵礼物回到家乡去。之所以带许多礼物，是要叫父亲看见真凭实据，就信他儿子们的话，能够安心离开家乡搬到埃及来。

迦南地是神早先向亚伯拉罕、以撒、雅各所应许的福地。因此雅各作出离开那地迁至埃及的决定是十分不易的。约瑟知道此地对父亲具有怎样的意义。于是使哥哥们带许多礼物去，好让父亲相信他儿子约瑟真的作了埃及宰相、一切尽在神的旨意中。

此时约瑟再次区别对待便雅悯，将更多的物品赐给他，因为知

道哥哥们经过熬炼已得到改变，不会再为这些事嫉妒怨恨。

最后约瑟嘱托哥哥们说"你们不要在路上相争"，告诫他们要保持和睦，以确保神在他们身上的旨意能够完满成就。神熬炼约瑟，立为埃及的宰相，又熬炼他的哥哥们达到如此的境地，一切尽在成就以色列民族的旨意当中。

雅各和其家眷迁居埃及，意味着神旨意的成果开始呈现。而在这重要时期，兄弟们若在回乡的途中起争竞，打破和睦，会给撒但留下亵渎的机会，导致神的显应有所耽延。

约瑟的哥哥们虽已得以更新转变，但尚未达到全善的境界。所以他们心里尚存的肉体之属性，在回乡的途中随时都有可能显露出来引发争执：或彼此争论谁的功劳大；或贪心所趋，抱怨分配不公；或论及旧事，互相推卸责任。

这样一来，在神的显应已近的时候，会使撒但得着控告的机会。约瑟参悟灵界的法则，便预先嘱托他的哥哥们。

回到家乡，兄弟们向父亲雅各讲述其间的见闻和遭遇。告诉父亲说约瑟还活着，而且作了埃及的宰相。雅各觉得难以置信。当年明明见到约瑟血染的彩衣，以为他被恶兽吃了，时至今日，已有22年，当下不信儿子们的话，是情有可原的！

对此约瑟早有预料，便提前详细告诉他哥哥们见到父亲要如何如何说。叫他们将埃及所见所闻的都告诉他们的父亲。兄弟们照约瑟的安排启程回乡，公驴十匹，驮着埃及的各样美物；母驴十匹，驮着供他父亲在路上用的粮食与饼和菜。

雅各听了儿子们的话，又看见他们从埃及带来的车辆和物品，便信了他们。爱子还活着，而且作了埃及的宰相，又派了车辆和食物来，要接他到埃及去，雅各心里该有多么激动！与约瑟相逢的期盼与喜悦，以及爱怜和思念之情占满了他的心间。

将来一切的圣工，

我相信必照神的计划和旨意成就，

愿神的恩典在这地上永远长存，

愿您的百姓称颂赞美承传不息。

我要感谢您！

想着您的爱，我要感谢您！

想着您的恩典，我要感谢您！

想着您使我在无尽的荣耀中得活，我要感谢您！

想着您将使我在荣耀中合上双眼，我要感谢您！

我将一切向我的神交托，

平平安安地归入您的怀中，

神的儿子，就是您所心爱的这儿子

投向父怀，使您喜乐满足。

第三部

埃及宰相约瑟，神约言的通道

/ 第三部 /

约瑟的生命历程
是神对亚伯拉罕、以撒、
雅各的约言实现的过程和通道。

他因信神善美的旨意,
奠定了以色列民族形成的根基,
成为神成就拯救万民旨意的重用器皿。

第八章

雅各和其家眷迁居歌珊地

我必使你在那里成为大族

在神的旨意下迁居埃及的雅各家族

等法老召你们的时候,问你们说:你们以何事为业?

1.我必使你在那里成为大族

以色列带着一切所有的，起身来到别是巴，就献祭给他父亲以撒的神。夜间，神在异象中对以色列说："雅各！雅各！"他说："我在这里。"神说："我是神，就是你父亲的神。你下埃及去不要害怕，因为我必使你在那里成为大族。我要和你同下埃及去，也必定带你上来，约瑟必给你送终（原文作"将手按在你的眼睛上"）。"雅各就从别是巴起行。以色列的儿子们使他们的父亲雅各和他们的妻子、儿女，都坐在法老为雅各送来的车上。他们又带着在迦南地所得的牲畜、货财来到埃及。雅各和他的一切子孙都一同来了。雅各把他的儿子、孙子、女儿、孙女，并他的子子孙孙，一同带到埃及。（创世记46章1-7节）

事已至此，雅各仍不能轻易决定坐上法老为他送来的车，举家迁至埃及定居，因为念到迦南地所具有的特殊意义。迦南地，乃是神向亚伯拉罕、以撒和雅各所应许之福地（创世记17章8节；26章

2-4节；35章12节）。

雅各从未忘记神与他所立的约。况且割舍多年辛苦建立的家业而搬到埃及去，这不是能轻易决定的事。但因迦南地累年持续的大饥荒，出于保住全家性命的考虑，雅各不得不选择下埃及去。打算去见爱子约瑟，逗留一段时间，等到饥荒过了再返乡。

雅各离开希伯伦前往埃及的途中，于别是巴向神献祭，意在对往事作一个总结，并求问神的旨意。雅各带着一切所有的前往埃及，是他人生的一大转折。在如此重要的时刻，雅各仔细回顾自己的生命历程。

追念神随时的同在和细致的引领，向神献上感恩的祭。躲避哥哥以扫的怨怒离家远行；在母舅拉班家里昼夜劳碌；蒙神帮助成为大富户而衣锦还乡；见哥哥以扫之前向神呼求仰赖，以至大腿窝被扭，直到定居迦南地至今所经历的一切……追忆着纷繁往事，对自己的人生作出进一步总结和反思。

同时求问迁到埃及是不是神的旨意。当然出发之前求问神是更为妥当的，但他选择在别是巴向神献祭，别具属灵意义。

别是巴，是雅各躲避哥哥以扫的怨怒，投奔母舅拉班之前，与父亲以撒一起生活的地方。神曾在此地向以撒显现并祝福他说"要为我仆人亚伯拉罕的缘故，使你的后裔繁多"。

创世记21章和26章记载，亚伯拉罕和以撒分别为水井的缘故于别是巴同非利士王亚比米勒彼此立约。亚伯拉罕在别是巴栽上一棵垂丝柳树，又在那里求告永生神的名。这样，别是巴对亚伯拉罕和以撒具有十分重要的意义。它又是以水井作为立约之证据的地方。

雅各在别是巴献祭以记念神的约言。说明雅各时刻铭记神的圣约及其属灵蕴意，虽尚未达到全然体贴神心意而行的境界，但他心里时常记念神并寻求神的旨意。

雅各始终坚信神必成就祂所赐的异象。虽然领受神的约言时隔很久，但他依然恒心相信神必藉着他成就大族，所应许的迦南地也必赐给他后裔为业。雅各始终坚信神的约言，每逢重要时期，专心向神仰赖，获得神的显应和带领。

神悦纳雅各在别是巴所献上的祭祀，夜间在异象中向他显现，指示他说："我是神，就是你父亲的神。你下埃及去不要害怕，因为我必使你在那里成为大族。我要和你同下埃及去，也必定带你上来，约瑟必给你送终（原文作"将手按在你的眼睛上"）。"

告诉他下埃及去是神的旨意；所赐予亚伯拉罕、以撒和雅各的约言，也必成全。且承诺必与雅各同下埃及去，也必带他重归应许之地迦南。

同时也表明他与约瑟重逢，并且在他身边安然离世。领受神的指示，确知神的旨意后，雅各带着一切家眷并一切所有的，平平安安地下埃及去。

2.在神的旨意下迁居埃及的雅各家族

来到埃及的以色列人,名字记在下面:雅各和他的儿孙,雅各的长子是流便。流便的儿子是哈诺、法路、希斯伦、迦米;西缅的儿子是耶母利、雅悯、阿辖、雅斤、琐辖,还有迦南女子所生的扫罗;利未的儿子是革顺、哥辖、米拉利;犹大的儿子是珥、俄南、示拉、法勒斯、谢拉,惟有珥与俄南死在迦南地;法勒斯的儿子是希斯伦、哈母勒;以萨迦的儿子是陀拉、普瓦、约伯、伸仑;西布伦的儿子是西烈、以伦、雅利。这是利亚在巴旦亚兰给雅各所生的儿子,还有女儿底拿。儿孙共有三十三人。迦得的儿子是洗非芸、哈基、书尼、以斯本、以利、亚罗底、亚列利。亚设的儿子是音拿、亦施瓦、亦施韦、比利亚,还有他们的妹子西拉。比利亚的儿子是希别、玛结。这是拉班给他女儿利亚的婢女悉帕从雅各所生的儿孙,共有十六人。雅各之妻拉结的儿子是约瑟和便雅悯。约瑟在埃及地生了玛拿西和以法莲,就是安城的祭司波提非拉的女儿亚西纳给约瑟生的。便雅悯的儿子是比拉、比结、亚实别、基拉、乃幔、以希、罗实、母平、户平、亚勒。这是拉结给雅各所生的儿孙,共有十四人。但的儿子是户伸;拿弗他利的儿子是雅薛、沽尼、耶色、示冷。这是拉班给他女儿拉结的婢女辟拉从雅各所生的儿孙,共有七人。那与雅各同到埃及的,除了他儿妇之外,凡从他所生的,共有六十六人。还有约瑟在埃及所生的两个儿子。雅各家来到埃

及的共有七十人。(创世记46章8-27节)

十一个儿子和他们的妻子，孩子，加上他们牧养的群畜，当时雅各一家搬迁规模之巨大，可想而知。年幼的孩子们和体弱的妇女们坐在车上，结队的驴儿驮着许多货物，众人赶着成群的牲畜……场面蔚为壮观。圣经以雅各的十二个儿子为中心，顺着母系，罗列雅各家族的名单。

利亚所生的长子流便有四个儿子，长子哈诺成为哈诺族的鼻祖，法路、希斯伦、迦米也分别作了其同名族系的祖先（民数记26章5、6节）。

利亚的二儿子西缅有六个儿子，分别是耶母利、雅悯、阿辖、雅斤、琐辖和扫罗，他们也分别成为各族系的始祖（民数记26章12、13节）。利亚所生的第三子利未有三个儿子。

利亚的第四子犹大有五个儿子。犹大从迦南女子所生的儿子珥与俄南，因在神眼中看为恶而死在迦南地（创世记38章7-10节）。儿妇他玛为了家族世系的延续，以欺哄的方式从公公犹大生了双生子法勒斯、谢拉。法勒斯生了希斯伦、哈母勒两个儿子。

利亚的第五子以萨迦有四个儿子，分别是陀拉、普瓦、约伯、伸仑；利亚的第六子西布伦有西烈、以伦、雅利三个儿子。这样，雅各从利亚所生的有女儿底拿和六个儿子及其儿孙共计三十三人。

其次，雅各从利亚的婢女悉帕所生的子孙共有十六人。悉帕生了迦得和亚设，迦得生了七个儿子。亚设生有四子一女，亚设之子比利亚有二子。

雅各钟爱的拉结生了约瑟和便雅悯。约瑟在埃及从安城的祭司波提非拉的女儿亚西纳生了 玛拿西和以法莲。次子便雅悯生有子孙十人。这样，雅各从拉结所得的儿孙，共有十四人。拉结给雅各为妾的婢女辟拉生了二子，但的儿子是户伸；拿弗他利的儿子是雅薛、沽尼、耶色、示冷。这样雅各从辟拉所生的儿孙，共有七人。

雅各家迁居埃及的，包括约瑟在埃及所生的两个儿子，共有七十人。

3. 等法老召你们的时候，问你们说：你们以何事为业？

雅各打发犹大先去见约瑟，请派人引路往歌珊去；于是他们来到歌珊地。约瑟套车往歌珊去，迎接他父亲以色列。及至见了面，就伏在父亲的颈项上，哭了许久。以色列对约瑟说："我既得见你的面，知道你还在，就是死我也甘心。"约瑟对他的弟兄和他父的全家说："我要上去告诉法老，对他说：'我的弟兄和我父的全家，从前在迦南地，现今都到我这里来了。他们本是牧羊的人，以养牲畜为业，他们把羊群牛群和一切所有的都带来了。'等法老召你们的时候，问你们说：'你们以何事为业？'你们要说：'你的仆人，从幼年直到如今，都以养牲畜为业，连我们的祖宗也都以此为业。'这样，你们可以住在歌珊地，因为凡牧羊的，都被埃及

人所厌恶。"（创世记46章28-34节）

雅各全家到达埃及。雅各打发犹大去见约瑟报信。约瑟套车前往歌珊地，去见他的父亲，一派大国之宰相的威严尊荣。在这久别重逢的时刻，二人会是怎样的心情？

日夜积淀的离愁别伤，时隔二十二年的奇迹重逢，其感激之情难以言喻。对雅各而言，约瑟仿佛是死而复生！雅各见了约瑟的面，喜极而泣，约瑟伏在父亲的颈项上，哭了许久。雅各既得见约瑟之面，觉得死而无憾。

此后约瑟对众人说，他要去告诉法老：我的弟兄和我父的全家都到了埃及。约瑟心里早知，应该如何回答法老，才能获准适合他们家族历代传统家业稳定发展的独立环境。

于是告诉他的兄弟和家人说：等到法老问："你们以何事为业？"就回答"以养牲畜为业"。这智慧出于神的感动和指引，旨在成就神的旨意，而非出于私欲的打算，更非出于诡诈的谋划。

雅各家族的请求若是涉及到法老所重视的产业或重要的地段，法老有可能心生疑虑，引起他的警惕和戒备。而一听他们以养牲畜为业，法老必毫无顾虑地允准他们定居歌珊地。因为畜牧业是埃及人以为可憎的。

"可憎"包含厌恶憎嫌之意。埃及人视以畜牧为业的人为低贱。明知埃及人以为可憎，却仍表示他们祖祖代代以养牲畜为业，另一个意图是要与他们保持一定的距离。

以色列人要在埃及生活,最重要的课题之一,就是作为神的选民如何保持他们信仰的纯正。习染当地人文风俗,与埃及人通婚,沾染偶像崇拜,就会丧失履行圣约的资格。于是表明他们是以养牲畜为业的,以便与埃及人分别自居。

约瑟预先告诉兄弟们见法老时该如何回答,最根本的原因,就是因为参透王的心意。法老虽有注重恩义的善心,但他毕竟不是属真理的人,经不起时间的考验,一旦有损于自身利益,随时都有可能变心。

法老当下由于感恩,凡约瑟和其家族所求的,都要给予满足,但说不定何时又反悔当初的决定。深知此理约瑟以机智使哥哥们所求正合法老的心意,以获法老慷慨允诺,以至两相和谐,无任何后顾之忧。

作为宰相,约瑟对埃及的国情了如指掌,知道父亲和家族在何处定居最为适合。约瑟行事完全,顾及灵肉两面,既能与众人和睦,又能满足家族之需。

我们要从中领会善的智慧。约瑟的智慧体现在,既能圆其所愿,又能博得众人支持,没有任何嫌隙。约瑟凡事顺着所赐的智慧而行,事事和谐,处处融洽,荣神益人。

有善的智慧的人,具有参透人心的能力,但不以谋取私利之用,而照神的旨意,造益于众人。这样,惟有从上头来的智慧,出于真理和良善的智慧,才能助益众人,带来幸福。

扩展分享四

向亚伯拉罕、以撒、
雅各所应许的美地迦南

1.神对亚伯拉罕（亚伯兰）的约言

耶和华对亚伯兰说："你要离开本地、本族、父家，往我所要指示你的地去。我必叫你成为大国。我必赐福给你，叫你的名为大，你也要叫别人得福。为你祝福的，我必赐福与他；那咒诅你的，我必咒诅他。地上的万族都要因你得福。"（创世记12章1-3节）

亚伯兰将他妻子撒莱和侄儿罗得，连他们在哈兰所积蓄的财物，所得的人口，都带往迦南地去。他们就到了迦南地。亚伯兰经过那地，到了示剑地方摩利橡树那里。那时，迦南人住在那地。耶和华向亚伯兰显现，说："我要把这地赐给你的后裔。"亚伯兰就在那里为向他显现的耶和华筑了一座坛。（创世记12章5-7节）

耶和华又对他说:"我是耶和华,曾领你出了迦勒底的吾珥,为要将这地赐你为业。"(创世记15章7节)

"我要将你现在寄居的地,就是迦南全地,赐给你和你的后裔,永远为业。我也必作他们的神。"(创世记17章8节)

2.神对以撒的约言

耶和华向以撒显现,说:"你不要下埃及去,要住在我所指示你的地。你寄居在这地,我必与你同在,赐福给你,因为我要将这些地都赐给你和你的后裔。我必坚定我向你父亚伯拉罕所起的誓。我要加增你的后裔,像天上的星那样多;又要将这些地都赐给你的后裔,并且地上万国必因你的后裔得福;"(创世记26章2-4节)

3.神对雅各的约言

梦见一个梯子立在地上,梯子的头顶着天,有神的使者在梯子上,上去下来。耶和华站在梯子以上(或作"站在他旁边"),说:"我是耶和华你祖亚伯拉罕的神,也是以撒的神,我要将你现在所躺卧之地赐给你和你的后裔。你的后裔必像地上的尘沙那样多,必向东西南北开展,地上万族必因你和你的后裔得福。我也与你同在,你无论往哪里去,我必保佑你,领你归回这地,总不离弃你,直到我成全了向你所应许的。"(创世记28章12-15节)

雅各从巴旦亚兰回来,神又向他显现,赐福与他,且对他说:"你的名原是雅各,从今以后不要再叫雅各,要叫以色列。"这样,他就改名叫以色列。神又对他说:"我是全能的神,你要生养众多,将来有一族和多国的民从你而生,又有君王从你而出。我所赐给亚伯拉罕和以撒的地,我要赐给你与你的后裔。"(创世记35章9-12节)

神说:"我是神,就是你父亲的神。你下埃及去不要害怕,因为我必使你在那里成为大族。我要和你同下埃及去,也必定带你上来,约瑟必给你送终(原文作"将手按在你的眼睛上")。"(创世记46章3、4节)

第九章

约瑟属天的智慧和埃及全地饥荒的对应政策

对法老设身处地体贴入微
约瑟智获兰塞境内的地作为父家产业
应对甚重饥荒的宰相约瑟
革新埃及的土地政策
起誓照雅各所愿葬之于列祖坟茔

1.对法老设身处地体贴入微

约瑟进去告诉法老说:"我的父亲和我的弟兄带着羊群牛群,并一切所有的,从迦南地来了,如今在歌珊地。"约瑟从他弟兄中挑出五个人来,引他们去见法老。法老问约瑟的弟兄说:"你们以何事为业?"他们对法老说:"你仆人是牧羊的,连我们的祖宗也是牧羊的。"他们又对法老说:"迦南地的饥荒甚大,仆人的羊群没有草吃,所以我们来到这地寄居。现在求你容仆人住在歌珊地。"法老对约瑟说:"你父亲和你弟兄到你这里来了,埃及地都在你面前,只管叫你父亲和你弟兄住在国中最好的地,他们可以住在歌珊地。你若知道他们中间有什么能人,就派他们看管我的牲畜。"(47章1-6节)

约瑟早已看中歌珊地,这是最适合他们家族定居的地方。歌珊地位于埃及的边陲,埃及人的影响甚少,利于确保家族血统的纯正,且适合牧养牲畜。约瑟先使家人临时驻留歌珊地,然后以智慧的言辞使法老主动允准其家族定居此地。

"我的父亲和我的弟兄带着羊群牛群,并一切所有的,从迦南地来了,如今在歌珊地。"约瑟向法老禀告他的家族到来的消息,并且特意提到他们有羊群牛群。

使法老知道他们家族是以埃及人所轻贱的牧养牲畜为业,不会对埃及造成任何威胁。"如今在歌珊地",乃表示他们目前暂居歌珊地,恭候法老恩准。

若是说"我的家族愿意住在歌珊地",或"愿您把歌珊地赐给我家族",这是一厢情愿,在某种程度上是先行后问。然而约瑟诚然敬重法老,表明歌珊地适合他的家族定居,然后请求法老恩准。正是约瑟的这种谦卑与服侍的美德,使法老安心地将一切国事交给约瑟治理。

约瑟禀告法老后,从他众兄弟中挑选五个,引他们去见法老。选五人去见法老,用意何在?领着一帮壮汉去见法老,难免使法老产生不安感。当然法老早已得知约瑟兄弟十一个,全家共七十人。但有十余个壮汉同时出现,气氛未免会有些失衡。总之,约瑟选五个兄弟去见法老,意在排除一切可能使法老产生负面心理反应的因素。

这样,约瑟事事体贴法老的心意,做到无微不至的服侍。而他从未试图凭着自己的智谋打动法老的心。凡事凭信靠神而行,不依赖人的智慧和谋略。

约瑟在自己当行的事上倾心尽力，至于事情的发展和结果，全然向神交托和仰望。神就照着他的信心赐他属天的智慧，并感动法老的心，使他所谋的事尽都顺利亨通。

法老和约瑟的兄弟们相见的时候到了。不出约瑟所料，王见了他们，第一问就是"你们以何事为业"，好像提前约定了似的。约瑟对法老的性情、趣向，以及思虑、负担，甚至意愿和行动取向，全都了然于胸，便能做到贴心周全的辅佐，胜任治国之重任。而这不是单凭超群智谋和先见之明所能得成的。

如果一个人具有精明的头脑和丰富的阅历，行事处事决事洞若观火。但成败的关键在于为人宽仁，谦和，保持和谐的人际关系。若与周围人伤和气，就得不到神的帮助，便难以取得满意的成果。即使取得成功，顶多被认为有才干，很难得到别人的尊敬和信赖。

约瑟不仅深晓埃及地理国情民意，更是深谙世故，参透人心，灵明老练，而且具有感化人心的善的智慧。

兄弟们照着约瑟的意思，回答法老说："你仆人是牧羊的，连我们的祖宗也是牧羊的。……迦南地的饥荒甚大，仆人的羊群没有草吃，所以我们来到这地寄居。现在求你容仆人住在歌珊地。"

表示他们是因饥荒所迫，来向法老求恩的，暗示他们不是贪恋埃及的肥美之地而来的，并以极其卑微的姿态，请求法老恩准他们住在歌珊地。

其实法老早已获知他们当下临时驻留歌珊地,而且此地适合他们牧养牲畜。在王看来,约瑟的兄弟们都是些淳朴老实的牧羊人,不会对他们造成任何威胁,无需提防,而且可以派他们看管他的牲畜,便慷慨地成全他们。

"埃及地都在你面前,只管叫你父亲和你弟兄住在国中最好的地,他们可以住在歌珊地",法老欣然答应他们的请求,又交给他们看管他牲畜的差事。把自己的财产全权交给外邦人管理,这体现出法老对约瑟兄弟们最大的信任与宽容。

2.约瑟智获兰塞境内的地作为父家产业

> 约瑟领他父亲雅各进到法老面前,雅各就给法老祝福。法老问雅各说:"你平生的年日是多少呢?"雅各对法老说:"我寄居在世的年日是一百三十岁,我平生的年日又少又苦,不及我列祖在世寄居的年日。"雅各又给法老祝福,就从法老面前出去了。约瑟遵着法老的命,把埃及国最好的地,就是兰塞境内的地,给他父亲和弟兄居住,作为产业。约瑟用粮食奉养他父亲和他弟兄,并他父亲全家的眷属,都是照各家的人口奉养他们。(47章7-12节)

约瑟从法老获准居住地后,这才把父亲领到法老面前。旨在遵循尊父为上的伦理秩序,另一方面是叫父亲雅各免受可能出现的僵局。

头一次会面，法老会作出怎样的反应，所求的歌珊地能否获准，难以确定。于是约瑟等到诸事稳妥，才把父亲领到法老面前。王与约瑟的哥哥们会面之后，感觉很满意，待雅各分外亲切，这从雅各给法老祝福的情形中体现出来。

雅各给法老祝福，法老并不介意他族长的身份地位，也不忌讳雅各奉他所信奉之神的名为他祝福。因为年事已高的老者、所爱臣子的父亲好心要为自己祝福，便欣然许之。说明法老已对雅各家族持定完全的信任。

当法老问及雅各的年岁时，雅各回答说："我寄居在世的年日是一百三十岁，我平生的年日又少又苦，不及我列祖在世寄居的年日。"

借以暗示他和他的家族对法老完全没有威胁性。为使法老确信，进一步表明他们祖祖辈辈以游牧为业，逐水草而居，惯于寒苦，安常守分，与人无争。

雅各一家和法老在和睦融融中见面，又因约瑟智慧的处置步骤，获准歌珊地为家族领地和产业。约瑟可以在安稳的环境中奉养他父亲和他兄弟并一切家眷。

假如约瑟未经法老恩准，任意将自己的家族安顿在歌珊地，会出现怎样的结果？必有一些人对此感到不满，宣泄怨言，尽管埃及人曾蒙约瑟的大恩。仍会认为雅各家族在耗费他们的税金和国资，在埃及宝地养尊处优。

约瑟安顿并奉养其家族在埃及国最好的地域，是获得埃及君主恩赐的，无可非议。约瑟照法老的许可，将兰塞境内的地给他父亲和弟兄居住，作为产业。兰塞是歌珊地的一座城镇。

随着对约瑟这一人物的深入解析，我们不由赞叹他那超凡卓绝的智慧——料事精准，洞若观火；驾驭人心，有愿必成！

约瑟的智慧区别于那种利用他人牟取私利的计谋。这种感化人心的智慧出于内里的良善，心存恶念的人绝不会有此智慧。约瑟虽是受王宠信的宰相，却从不凌驾于人，凡事以大局为念，待人谦和宽容，处事灵明公平，深晓善的智慧法则。

法老慨然允诺，非因约瑟几句机智的言辞，而是约瑟诚实的为人，忠信的辅佐。法老绝对信任约瑟，言听计从，凡事随其所愿。对这次请求，法老照样慷慨允诺。

这一切尽在神的旨意中。约瑟选择歌珊地，不是出于对家族亲情的考虑，而是顺着所赐的感动，照着神的旨意，为以色列族群的形成奠定基础。

3.应对甚重饥荒的宰相约瑟

> 饥荒甚大，全地都绝了粮，甚至埃及地和迦南地的人，因那饥荒的缘故都饿昏了。约瑟收聚了埃及地和迦南地所有的银子，就是众人籴粮的银子，约瑟就把那银子带到法老的宫里。埃及地和迦南地的银子都花尽了，埃及众人都来见约瑟，说："我们的银子都用尽了，求你给我们粮食，我们为什

么死在你面前呢？"约瑟说："若是银子用尽了，可以把你们的牲畜给我，我就为你们的牲畜给你们粮食。"于是他们把牲畜赶到约瑟那里，约瑟就拿粮食换了他们的牛、羊、驴、马。那一年因换他们一切的牲畜，就用粮食养活他们。那一年过去，第二年他们又来见约瑟，说："我们不瞒我主，我们的银子都花尽了，牲畜也都归了我主，我们在我主眼前，除了我们的身体和田地之外，一无所剩。你何忍见我们人死地荒呢？求你用粮食买我们和我们的地，我们和我们的地就要给法老效力。又求你给我们种子，使我们得以存活，不至死亡，地土也不至荒凉。"（47章13-19节）

文明高度发达的当今世界，仍有许多人因饥荒而丧生。随着干旱时间持续，湖泊干涸，草木枯萎，遍地荒芜，农作物颗粒无收，人和牲畜在饥饿中丧生。数千年前，饥荒是毁灭性的可怕天灾，不像现今还能指望来自世界各地的人道救灾。况且当时饥荒遍及埃及周边地区，更是束手无策。

然而约瑟靠着从神领受的智慧，克服了埃及的七年大饥荒。趁七个丰年进行有计划的储备，以备将来累年的严重饥荒。

充足的粮仓储备，不仅满足了埃及百姓的需求，而且成为周边部落城邦的救命粮。断米绝粮的百姓，开始出钱购买国家储备粮，法老的国库日渐充实。然而埃及地和迦南地银子都用尽了，饥荒仍在持续。

百姓没钱买粮，就求约瑟给他们粮食。约瑟向百姓提议以牲畜换取粮食，百姓欣然答应，因为喂养牲畜已成为他们的累赘。

过了一年，连牲畜也不剩了，无从购买粮食。百姓于是向约瑟央求：我们只剩身体和田地，人死地荒，这些便都无用，求你用粮食买我们和我们的地，使我们得以存活，我们要作法老的仆人，耕种法老的田地。

4. 革新埃及的土地政策

> 于是，约瑟为法老买了埃及所有的地，埃及人因被饥荒所迫，各都卖了自己的田地，那地就都归了法老。至于百姓，约瑟叫他们从埃及这边直到埃及那边，都各归各城。惟有祭司的地，约瑟没有买，因为祭司有从法老所得的常俸。他们吃法老所给的常俸，所以他们不卖自己的地。约瑟对百姓说："我今日为法老买了你们和你们的地。看哪，这里有种子给你们，你们可以种地。后来打粮食的时候，你们要把五分之一纳给法老，四分可以归你们作地里的种子，也作你们和你们家口孩童的食物。"他们说："你救了我们的性命，但愿我们在我主眼前蒙恩，我们就作法老的仆人。"于是，约瑟为埃及地定下常例直到今日，法老必得五分之一，惟独祭司的地不归法老。(47章20-26节)

约瑟收购埃及所有的田地归于法老，百姓作了法老的佃仆。

这一政策，似乎不够人道：有了充足有余的粮储，非但不施舍与百姓，反而使牲畜、土地，甚至他们的人，都归属法老。

想想，约瑟若是把粮食免费提供给百姓会如何？可能会造成不必要的浪费。"粮食用完了，还可以再领"，这种安逸的心态，会导致滥用或挥霍，储备的粮食再多，恐怕也不够救那累年的饥荒。

所以约瑟把粮食有偿供应给百姓，以免造成不必要的消耗。所定的粮价也很合理。甘为法老佃仆的百姓，为法老种地的条件也很公平——地里所得粮食的五分之一，即20%纳给法老，其余的可以归他们作食物和种子。对这些举措，百姓十分满意，他们说："你救了我们的性命，但愿我们在我主眼前蒙恩，我们就作法老的仆人。"

假如约瑟的施政不公平，必然怨声四起，民乱在所难免。百姓会抱怨：约瑟抢夺了我们的钱财、牲畜和土地，又使我们沦为法老的佃仆！但百姓反而感恩约瑟救了他们的性命。约瑟成功地克服了空前的大饥荒，既保障了民生，又为法老增添财富，巩固权利。

其中有一项举措，更是突显约瑟的智慧。就是祭司的地不收购。祭司从法老领受俸禄，约瑟不买他们的地，以维护法老的权利。

约瑟若是缺少智慧，急于求成，会把祭司的田地也归为法老所有。这也许暂时使法老心满意足，却为自己埋下了致命的隐患。

登上宰相高位的约瑟，蒙法老恩赐，娶了埃及祭司的女儿为妻,而他单单敬奉耶和华神,不侍奉他们的虚神偶像。而他凭着谦和诚实的品性,得到法老绝对的信任,埃及人便无人敢问此事。在此情形下,约瑟一旦触碰祭司集团的利益,很可能会引发宗教矛盾。

祭司集团会猜疑约瑟是在藐视他们埃及的神灵,不把祭司放在眼里。于是约瑟决定保留祭司的田产,这样既能保持和平局面,又能维护法老的权威。

约瑟以属天的智慧,克服了埃及的大饥荒,又使法老王权得以巩固,国力得以强盛。在法老的眼里,约瑟是救国于危难之中的第一功臣,看他为宝为尊。约瑟对法老始终忠诚不渝,极尽敬奉君主之礼,无可指摘,因而蒙得法老绝对的信任与器重,得享最高的尊荣地位。

5.起誓照雅各所愿葬之于列祖坟茔

> 以色列人住在埃及的歌珊地,他们在那里置了产业,并且生育甚多。雅各住在埃及地十七年,雅各平生的年日是一百四十七岁。以色列的死期临近了,他就叫了他儿子约瑟来,说:"我若在你眼前蒙恩,请你把手放在我大腿底下,用慈爱和诚实待我,请你不要将我葬在埃及。我与我祖我父同睡的时候,你要将我带出埃及,葬在他们所葬的地方。"约瑟说:"我必遵着你的命而行。"雅各说:"你要向我起誓。"约瑟就向他起了誓,于是以色列在床头上(或作"扶着杖

头")敬拜神。(47章27-31节)

约瑟治理埃及期间,他父亲雅各和其子孙后代在歌珊地生养众多,日渐繁盛,尽享神的恩福。这是神与亚伯拉罕,以撒和雅各所立之约(创世记12章2节;26章4节;28章3节;46章3节)得以实现的实证。

时光荏苒,岁月如梭,雅各迁至埃及后又过了十七年。自从与约瑟重逢以来,雅各始终在幸福安乐中度日。那么,神为何允准雅各多享十七年的寿数?

约瑟时隔二十二年得见了曾深爱他的父亲。若是不出几年父亲就过世,约瑟会是怎样的心情!虽然与父亲相别是不得已的,但因自己对父亲未尽的孝道,未能抹平父亲长年所受失子之痛而遗恨终生。

神顾念约瑟的心,使他服侍父亲十七年,尽那未尽的孝道。"十七"这个数字包涵着"神亲自安排,指引和成就"的灵意。

约瑟十七岁被卖至埃及承受熬炼出于神的旨意,同样,雅各与约瑟重逢,得享福乐十七年,亦是出于神的安排。那段父子团聚的岁月,于约瑟是幸福的回忆,对雅各是安乐的晚年。

雅各因着约瑟,不仅得享平安与幸福,在灵里也得到许多益处。看着约瑟充满智慧的为人处事,醒悟到自己过往的欠缺和不足。尤其想起自己听到约瑟噩耗时未能信靠神,绝望地哀叹"我必悲哀着下阴间,到我儿子那里",对神深感愧疚和懊悔。

雅各预感到自己的死期已近,就叫了儿子约瑟来,对他说:"请你把手放在我大腿底下,用慈爱和诚实待我,请你不要将我葬在埃及。我与我祖我父同睡的时候,你要将我带出埃及,葬在他们所葬的地方。"

"大腿底下",即大腿窝,包涵"正直、不变"的灵意。"把手放在大腿底下起誓",具有"指着神起誓"和"求神的带领和保障"的含义。

那么,雅各为自己与列祖同葬的遗愿,叫约瑟向他起誓,又因何故?因他始终怀揣着神赐予他的异象,即对"叫你和后裔在迦南地成为大族"这一圣约的信心与盼望。

雅各对神约言的珍重和确信,不因时间的推移和环境的更替而改变。这是他卓越内心品质的体现。在生命的最后一刻,他依然顾念神对他的圣约,并希望死后葬在他列祖所葬的地方,以明他对神的坚贞信志。

约瑟也一样。虽然年少时被卖至埃及,但他从未忘记从父亲领受的圣约。他顺从父亲的遗愿,将父亲归葬于他列祖的坟茔,并不单因对父亲的孝爱,更是出于与父亲雅各同样的信志与盼望。

因有这等心志器量,神将雅各立为以色列的先祖,并通过他儿子约瑟,使以色列人在埃及形成大族群。

第十章

约瑟的两个儿子
玛拿西和以法莲

约瑟去见临终的雅各

雅各为约瑟的两个儿子祝福

雅各立以法莲在玛拿西以上

雅各赐遗产给约瑟多于他众弟兄

1. 约瑟去见临终的雅各

这事以后，有人告诉约瑟说："你的父亲病了。"他就带着两个儿子玛拿西和以法莲同去。有人告诉雅各说："请看，你儿子约瑟到你这里来了。"以色列就勉强在床上坐起来。雅各对约瑟说："全能的神曾在迦南地的路斯向我显现，赐福与我，对我说：'我必使你生养众多，成为多民，又要把这地赐给你的后裔，永远为业。'我未到埃及见你之先，你在埃及地所生的以法莲和玛拿西，这两个儿子是我的，正如流便和西缅是我的一样。你在他们以后所生的，就是你的，他们可以归于他们弟兄的名下得产业。至于我，我从巴旦来的时候，拉结死在我眼前，在迦南地的路上，离以法他还有一段路程，我就把她葬在以法他的路上；以法他就是伯利恒。"（48章1-7节）

约瑟身为宰相，面对饥荒遍地，国难当头，鞠躬尽瘁，为国效忠。自雅各家族定居歌珊地以来，约瑟更是为国事倾心竭力。

假如约瑟倾心于服侍家人而轻忽国政，可能引起法老和众臣的不满和猜疑："看来之前的忠诚，不过是为自己的身家之利"。为此起见，约瑟在治国的事上付出更多的辛苦与牺牲。这样，非但使自己的形像不因家族的缘故有所折损，反而使法老和众臣意识到约瑟家族的到来对他们有利。

在奉养家族的事上，约瑟也并未轻忽敷衍。为国恪尽职守责任，为家倾尽孝悌之道。得见阔别二十二年的父亲，约瑟至诚服侍父亲，以弥补对父亲的亏欠，尽那未尽的孝道。但他追求公平公义，谨遵真理善道，待人和谐融洽，忠于职守使命。

有一天，约瑟接到父亲病了的消息。就带着两个儿子玛拿西和以法莲前去探望。这里需要留意。

"有人"给约瑟传信他父亲病了，"有人"又向雅各禀告约瑟来了。说明约瑟专派使者在他与歌珊地的家族之间经常往来传信。

由此，约瑟虽与父家两地相隔，却能随时获知父亲和整个家族情况，能够给予细致周全的照顾和帮助。公私兼顾，凡事和睦融洽。

至于"你的父亲病了"，这话是那使者主观的说法。雅各是年纪老迈，力衰目昏，非是患病所致。只因寿高年迈，气力衰竭，卧榻待终。传信的人就以为他病了。

雅各和父亲以撒年纪老迈，眼目昏花，气力衰败，乃因他们未能全然模成神的心意。申命记34章7节提到："摩西死的时候年一百二十岁。眼目没有昏花，精神没有衰败。"经上仔细说明摩西临终时的状态，旨在显明神如何保障全然模成神形像之人的健康。

以撒和雅各也算得上是安然寿终，不过与摩西相比是有一定差距的：一是身体老迈机能衰败而亡，一是至终保持身体康健，只因神使他气力绝尽而死。

雅各听见约瑟来了，就勉强支起身子在床上坐起，随后讲起神与他所立的约。

神曾在迦南地的路斯向雅各显现，说："将来有一族和多国的民从你而生，又有君王从你而出。我要将赐给亚伯拉罕和以撒的迦南地，赐给你与你的后裔，作为永远的产业。"（创世记35章11-12节）

雅各指着约瑟的两个儿子以法莲和玛拿西说"这两个儿子是我的"，意要待孙子以法莲和玛拿西如同自己的儿子，使约瑟的两个儿子得与神赐予雅各祝福的圣约有份。

接着说"你在他们以后所生的，就是你的，他们可以归于他们弟兄的名下得产业"，表明约瑟的子孙后代也要同他两个儿子纳入到神祝福的应许之中；沿承玛拿西和以法莲所领受的祝福。

雅各突然提到亡妻拉结说："至于我，我从巴旦来的时候，拉结死在我眼前，在迦南地的路上，离以法他还有一段路程，我就把她葬在以法他的路上；"

雅各临终时提到拉结是因他感念对拉结的爱，并且想起拉结得到约瑟时的喜悦以及分外疼爱约瑟的情形。并面对儿子约瑟和同来的两个孙子重申他母亲拉结的安葬之处，希望他们能够时常记念他们的先人。

可知雅各对拉结的感情在其一百四十七年生平中占据很大分量；他对拉结的爱经得起时间的考验，始终不渝，历久弥深。

2.雅各为约瑟的两个儿子祝福

以色列看见约瑟的两个儿子，就说："这是谁？"约瑟对他父亲说："这是神在这里赐给我的儿子。"以色列说："请你领他们到我跟前，我要给他们祝福。"以色列年纪老迈，眼睛昏花，不能看见。约瑟领他们到他跟前，他就和他们亲嘴，抱着他们。以色列对约瑟说："我想不到得见你的面，不料，神又使我得见你的儿子。"约瑟把两个儿子从以色列两膝中领出来，自己就脸伏于地下拜。随后约瑟又拉着他们两个：以法莲在他的右手里，对着以色列的左手；玛拿西在他的左手里，对着以色列的右手，领他们到以色列的跟前。以色列伸出右手来，按在以法莲的头上，以法莲乃是次子；又剪搭过左手来按在玛拿西的头上，玛拿西原是长子。他就给约瑟祝福说："愿我祖亚伯拉罕和我父以撒所侍奉的神，就是一生牧养我直到今日的神，救赎我脱离一切患难的那使者，赐福与这两个童子。愿他们归在我的名下和我祖亚伯拉罕、我父

以撒的名下，又愿他们在世界中生养众多。"（创世记48章8-16节）

雅各指着约瑟的两个儿子问："这是谁？"实乃明知而故问，要听约瑟亲口回答。此时约瑟若是动用人意会以为父亲老迈恍惚，连孙子都认不出。但约瑟感悟父亲这样问的意图，便认真回答说"这是神在这里赐给我的儿子"。

并没有简单回答"是我的儿子"，而强调是神在埃及地赐与他的。表示他们虽然生在埃及地，但也是神所恩赐的，与亚伯拉罕、以撒和雅各同在神的旨意当中。

这里值得注意的是：只有得悟问话人的意图，才能作出准确的回答。

马可福音第5章记载患了十二年血漏的妇女因摸了耶稣的衣裳而得医治的情形。耶稣心里觉得有能力从自己身上出去，便问道："谁摸我的衣裳？"因为知道那女子有一颗淳善之心，相信"我只摸他的衣裳，就必痊愈"，便要使其显明，进一步医治她的病，使其完全康复。

而不明耶稣心意的门徒说："你看众人拥挤你，还说'谁摸我'吗？"意思是众人拥挤，不免无意中碰到衣裳，无需在意。耶稣之问，必有深意，而门徒却只顾现实状况，答非所问，似乎耶稣连这点道理都不明白。

门徒若是灵里警醒，会如何呢？定会想：夫子不会不知现状，此问必有其由。

约瑟按神的旨意当了埃及宰相,在属灵意义上是个长子。约瑟感悟到父亲要为他和他两个儿子祝福的心意,便作了这一由信而出的告白。雅各说:"请你领他们到我跟前,我要给他们祝福。"约瑟就照着吩咐将两个儿子领到父亲跟前。

年纪老迈,眼目昏花的雅各,亲嘴,拥抱那两个孙子,高兴地对约瑟说:"我想不到得见你的面,不料,神又使我得见你的儿子。"

约瑟把两个儿子从父亲两膝中领出来,自己就脸伏于地下拜。随后约瑟又拉着他们两个到父亲雅各跟前,使玛拿西对着雅各的右手;使以法莲对着雅各的左手,好依次祝福。

人们大多右手比左手力大。在圣经上,右手代表"权柄和能力"(以赛亚书62章8节;启示录1章16、17节;2章1节;10章5节)或"大能大力"(出埃及记15章6节;诗篇17章7节;89章13节)。右手又代表着祝福(创世记48章14节)。

约瑟认为玛拿西得更大的福分,方才合乎次序,便叫他站在他祖父右边。不料,雅各把双臂交叉,按手在各人头上:右手向着以法莲,左手向着玛拿西。

雅各祝福两个孙子说:"愿我祖亚伯拉罕和我父以撒所侍奉的神,就是一生牧养我直到今日的神,救赎我脱离一切患难的那使者,赐福与这两个童子。愿他们归在我的名下和我祖亚伯拉罕、我父以撒的名下,又愿他们在世界中生养众多。"

3.雅各立以法莲在玛拿西以上

> 约瑟见他父亲把右手按在以法莲的头上,就不喜悦,便提起他父亲的手,要从以法莲头上挪到玛拿西的头上。约瑟对他父亲说:"我父,不是这样,这本是长子,求你把右手按在他的头上。"他父亲不从,说:"我知道!我儿,我知道!他也必成为一族,也必昌大,只是他的兄弟将来比他还大,他兄弟的后裔要成为多族。"当日就给他们祝福说:"以色列人要指着你们祝福说:'愿神使你如以法莲、玛拿西一样。'"于是立以法莲在玛拿西以上。(48章17-20节)

见到父亲将右手按在次子以法莲的头上,约瑟便请求父亲把右手改按在玛拿西头上。雅各不从,说:"我知道!我儿,我知道!他也必成为一族,也必昌大,只是他的兄弟将来比他还大,他兄弟的后裔要成为多族。"

雅各的作法与约瑟所愿相违,因为何故?雅各蒙神的感动,获悉神的旨意。按着人意说,玛拿西是长子,应得更大的福分。而雅各遵照神的指示而行。这与以撒明知神的意旨却仍执意要给长子以扫祝福形成反差。

据创世记25章记载,以撒得知神的旨意是要叫次子雅各的后裔将大过以扫的后裔,以扫要服侍雅各。然而以撒仍旧偏宠以扫,叫他作美味给他吃,好给他祝福。

而探知此事的妻子利百加用巧计使长子的祝福归于雅各。为此雅各经受长久的熬炼，彻底破碎老我，才得与哥哥以扫重归于好。

如果以撒遵从神的旨意会如何呢？两个儿子之间相互仇怨的悲剧就不会发生。雅各因经历过此事，所以不为人情私意所牵引，就照神所赐的感动，要给以法莲祝更大的福。

约瑟的灵性境界高于父亲雅各，为何在这件事上未蒙神的启示呢？因为在此事上，成就神旨意的主体是雅各，而不是约瑟。以色列十二支派，是通过雅各来成就的，祝福名列以色列十二支派的以法莲和玛拿西的事，自然由雅各来做。

由此，神感动雅各祝福以法莲和玛拿西。也就是说，不是约瑟缺少属灵的悟性，而是雅各作为圣工的主体，蒙神指示，行神旨意。

这里蕴含着重要的属灵教训。哥林多前书14章30节说"若旁边坐着的得了启示，那先说话的就当闭口不言"，因为"神不是叫人混乱"（哥林多前书14章30节），乃是叫人和谐，凡事按次序而行。

例如，神给多人启示，必按次序而为，使得彼此配搭默契。若有人得了神的启示，那先蒙启示的人要考虑到是神在藉着那人说话，此时就当安坐静听。所以哥林多前书14章32节说"先知的灵原是顺服先知的"。

这不只关乎启示或预言。在圣工上我们不能因受了某种指示或感动就以为这是全部，采取唯我独对的态度，因为神不是只对你一人作工。神使用你，照样也使用别人。只有认清并承认这一道理，才能使圣工在和睦融洽和配搭默契中得以完满成就。

约瑟绝对信赖神的作为，虽与自己的心意相反，但他立刻转意顺服父亲的意思。起初虽然提起他父亲的手，要从以法莲头上挪到玛拿西的头上，但这只是表示自己的想法而已，并非勉强父亲要照他的意思行。

雅各对约瑟说"我知道！我儿，我知道！"表明其中有深意。尤其以两手交叉祝福二人的举动，更是显明这是神感动他的心所行的。

约瑟感悟父亲的心意，不再说什么，不仅因雅各辈分比他高，更因灵里尊敬他的父亲。这样，约瑟重视、顺服属灵的次序，也没有忽略肉体的次序，将一切向神交托和仰望。体现出"真诚服侍"的实意。

神是灵界、肉界的主宰，是万有的掌管者。神造天地时不仅立定了灵界的次序和规律，也立定了肉界的次序和规律。遵循肉体的次序，方能全守属灵的次序。

论主次，当然是属灵的次序在肉体的次序之先。但注重属灵的次序而轻忽肉体的次序乃是不完全的。神凡事按属灵的次序而行，但从不忽略肉体的次序。

"真实的服侍"是在属灵次序和肉体次序的完美契合中所体现

出来的。那么，如何实现属灵次序和肉体次序的完美契合？

虽然属灵的次序在先，但肉体的次序亦当看重。即辈分高低和职位上下的固然确在，亦当彼此持定以属灵的次序为先的态度，灵肉次序上达成和谐默契方能实现。

约瑟听了父亲雅各的话立刻回转心意的另一个原因是，他清楚地知道所得福分之大小，不在乎领受祝福的先后，而在乎如何使那祝福显应在自己身上。

这是他亲身经历中悟出的道理。约瑟从神领受宏大异象，不单坚信那应许必成，更为实现那梦想，谨遵神旨，努力进深，预备齐全。

照样，雅各为玛拿西所祝的福比以法莲更大，而关键是各人对神的信仰态度和行为。以法莲和玛拿西后来分别得了怎样的福分，显明在以色列的历史上。

雅各是神人，照他所祝福的，以法莲的后裔领受了更大的福分。以法莲支派中出了出埃及时代卓越的领袖约书亚，而且在分配迦南地时获得中心地域为基业。其影响力也远超玛拿西支派。

但后来以法莲支派偏离神的旨意，行神所憎恶的各样恶事。扫罗王死后，大卫登基为王，扫罗的党羽拥立扫罗之子伊施波设为王。以法莲支派支持并共谋此事，并在后来所罗门王死后，作为主导势力，反对犹大支派，建立北朝以色列。

北朝以色列第一任君王耶罗波安就是出身以法莲支派。以以法莲支派为中心所建立的北朝以色列，后来沉迷偶像崇拜，渐渐远离神。表面看似国力强盛，局面安定，内里却腐败堕落。

以法莲支派的结局如何？从启示录第七章的记载中可以看到，以法莲支派被除，不在以色列十二支派之列。我们当记住的教训是，要使神的约言和祝福的应许显应实现，关键在于自身的努力和预备。

为了使祝福的应许实现，必须遵循公义的法则，付出自洁成圣，预备器皿的努力。神祝福的应许通常都是带有前提，如"你要如何如何行，必得着所应许的"。

为了使神祝福的约言全然显应，我们既要恒定必成的信念，更要殷勤预备蒙福的器皿。时刻记念神的旨意，谨遵而行，就可以得着所应许的福分（希伯来书10章36节）。

4. 雅各赐遗产给约瑟多于他众弟兄

> 以色列又对约瑟说："我要死了，但神必与你们同在，领你们回到你们列祖之地。并且我从前用弓用刀从亚摩利人手下夺的那块地，我都赐给你，使你比众弟兄多得一份。"（创世记48章21、22节）

以色列的先祖雅各给约瑟的遗产多于其他儿女。这是否说明雅各终坚持对约瑟的偏宠？实非如此。

藉着雅各的十二个儿子形成以色列民族的宏大旨意中，约瑟所起的作用极为重要，最为关键，功业巨大。

约瑟蒙神的大爱厚恩，过于其他兄弟，应得的福分当然要大于众人。于是神感动雅各的心，使最大的福分归于约瑟。

雅各的遗言，后来如何应验？以色列人四百年后出离埃及，回归他们的列祖之地。初到埃及时仅有七十人，以惊人的速度繁衍昌盛，四百年后光男丁就达六十余万，加上老弱妇孺足有二百多万。

形成大族的以色列民进入迦南地时，约瑟的两个儿子以法莲和玛拿西作为两个独立的支派，分得了基业。这样，约瑟所得的福分，比兄弟们多两倍。

蒙神的厚爱不是白来的。不要嫉羡别人蒙神的爱比自己多，只要醒悟其蒙福的原因并学习效法。

诗篇119篇2节说"遵守他的法度、一心寻求他的，这人便为有福"，意思是凡信靠创造万有的神，谨守祂的法度，专心恳切寻求祂的，这人便为有福。

加拉太书6章7节说"不要自欺，神是轻慢不得的。人种的是什么，收的也是什么。"我们若在信仰上马虎敷衍，就很难蒙神的慈爱和恩福。埃及宰相约瑟，因为始终谨守神道，专心爱神并寻求、仰赖神，便蒙得了神丰盛的慈爱和恩福。

第十一章

以色列的先祖雅各的遗言与辞世

雅各临终招聚众子
因罪过而丧失长子地位的流便
因既往之恶行而遭报应的西缅和利未
预言弥赛亚将出于犹大支派
雅各对西布伦、以萨迦、但的遗言
雅各对迦得、亚设、拿弗他利的遗言
雅各对约瑟和便雅悯的遗言
雅各嘱托众子把他归葬迦南地

1. 雅各临终招聚众子

> 雅各叫了他的儿子们来，说："你们都来聚集，我好把你们日后必遇的事告诉你们。雅各的儿子们，你们要聚集而听，要听你们父亲以色列的话："（49章1、2节）

雅各得见他原以为已丧命的儿子约瑟，之后在埃及共生活了十七年，回首过往，唯有感恩。这是他临终时的内心独白："我一生的年日里，回顾每一个瞬间，并非都是无憾无悔。神特殊的指引和厚待，我的生命得以更新而改变，使我子孙遍满，恩典祝福代代相传，称谢我的神。"

到了临终时刻，雅各准备要留遗言，就叫了他十二个儿子来，说："你们都来聚集，我好把你们日后必遇的事告诉你们。"这是出乎神，而非人意，惟有神预知将来的事。

雅各的遗言完全出于神的感动。这一预言后来通过雅各的后代子孙如实应验。不过，预言临到十二个儿子，即以色列各支派的先祖，但各支派的成员不一定都与此预言有份。

行为决定各人蒙福或咒诅的程度：领受了祝福的约言，有的人可能与那福约无缘；临到了咒诅的言语，有的人倒是远离咒诅，领受恩福。

例如，就雅各的十二个儿子当下灵里的光景而言，救主耶稣理应出身于约瑟的后裔。然而，耶稣恰恰出身于家族史上有污点的犹大支派。犹大显然不是品质卓越，圣洁完全者。

神预知在差遣弥赛亚到地上人间之际，从犹大支派会出一个内心良善的人物——约瑟，并且预知其所聘之妻马利亚的为人，乃至约瑟得知未婚妻马利亚在迎娶之前怀孕的消息时，会作出怎样的反应（马太福音1章19节）。于是神拣选他们，使耶稣得以在慈父良母的熏陶中成长。

这样，神参透现今，预知未来，祂的作为公平合理。所赐予雅各众子的言语，不仅与各人生平所种所行相称，且与各人内心品质和器皿相照；各人按自己善的程度和器皿的优劣，经历不同的人生遭际，起到不同的作用和影响。

而且，所赐于各支派的祝福，并非临到所有的人。纵观历世历代，各人按自己所行的，获得相应的报应，这就是公义。神成就以色列民族，乃是通过雅各的十二个儿子，而非单单通过具有善美品质的约瑟。按着定命，人一生的果效，是由自己的品性和行为所发出的。

2.因罪过而丧失长子地位的流便

> "流便哪,你是我的长子,是我力量强壮的时候生的,本当大有尊荣,权力超众,但你放纵情欲、滚沸如水,必不得居首位,因为你上了你父亲的床,污秽了我的榻。"(49章3、4节)

雅各先给长子流便留遗言。以色列人历来注重长子,尤其在族长时代,长子所具有的意义极其重大。流便身为长子,可以得享应有的诸多权益。

"本当大有尊荣,权力超众",是指长子所应得的权利地位。"大有尊荣"表示享有极大的威望威信,不可冒犯,得人信服。"权力超众"表示权柄权力无人可比,超乎众子之上。即无论在属灵层面,还是在现实层面,长子在诸多方面具有绝对的优先权。

然而,流便虽为长子,却得不到应得的福分。因为罪墙太大,隔断了祝福的通道。他曾与父亲雅各的妾辟拉通奸,雅各并不追究,默然遮掩其过,意在使他们幡然悔罪,获得新生。而流便的罪过并不能由此而得赦。虽蒙了父亲的宽恕,但他本人必须向神认罪痛悔,拆毁与神隔断的罪墙。

否则免不了公义的审判。在世也许可以敷衍,而将来白色大宝座审判时,则难免追讨审问。神的审判分毫不差,无可逃脱。

流便犯罪之后,并没有作出深刻的反省悔过,只是应付了之,而因此事，后来被剥夺了长子的权利。并且遗言中提到流便支派必不得居首位。综观以色列的历史，流便支派中没有出士师、先知或君王等卓越人物。在出埃及后旷野飘流时期，流便支派中在以色列会中作首领的大坍和亚比兰，因与可拉一党合谋反叛摩西而被诛灭。

那么，神的意思是否"流便和他后裔的命运已注定，不可更改"？神希望流便悔改归正，并期望其后代子孙能够铭记此言，免得重蹈其覆辙，偏行错谬的道路。

如果流便和他支派的命运已注定，任何努力也都将白费，那么，神就无需提起他的过犯。重提流便的过犯，旨在使他诚然悔改，以获全备的救恩和完整的福分。

神若一味地宽容人的罪过，恐怕众人反而对罪麻木，不知悔改，从而遭受试探、患难，终至败坏沦丧。正如经上所记"凡事受了责备，就被光显明出来，因为一切能显明的就是光"（以弗所书5章13节），神愿众人悔罪归正，不愿一人沉沦。这就是神的爱。

3.因既往之恶行而遭报应的西缅和利未

> "西缅和利未是弟兄，他们的刀剑是残忍的器具。我的灵啊，不要与他们同谋；我的心哪，不要与他们联络；因为他们趁怒杀害人命，任意砍断牛腿大筋。他们的怒气暴烈可咒，他们的忿恨残忍可诅。我要使他们分居在雅各家里，散住在以色列地中。"（49章5-7节）

雅各继而为次子西缅和第三子利未留遗言,指他们为"残忍的器具",是因他们从前对示剑所行的事。

雅各寄居巴旦亚兰母舅拉班家里,二十年后回到迦南地,住在示剑城东。一天,雅各的女儿底拿出去,要见那地的女子,不料遭那地的主示剑的奸辱。事后示剑带着其父哈抹来,向雅各求亲,要娶底拿为妻。

雅各的众子提出娶亲的条件,要求示剑城中所有男丁都要受割礼。示剑欣然答应,殊不知此为圈套。底拿的同父异母的哥哥西缅和利未,趁示剑城里的男子行了割礼而正在疼痛之时进行突袭,将城中一切男子赶尽杀绝。可谓以恶报恶。

当然,示剑所犯的罪并不轻,但西缅和利未的报复行动也不能视为正当的。他们若有敬畏神的心,就不会选择亲手报复,而将一切交托于掌管万有的神。

神藉着雅各的口,预言设谋残杀示剑人的西缅和利未所要遭受的报应,其中提到"他们的刀剑是残忍的器具。我的灵啊,不要与他们同谋",以警示后世之人不要与恶人同流。

诗篇1篇1节说有福之人"不从恶人的计谋,不站罪人的道路,不坐亵慢人的座位",故我们应当远离一切恶事,不与恶人联络,不与罪人同谋。

又说"我要使他们分居在雅各家里,散住在以色列地中"。这话后来如何应验,西缅和利未支派有了怎样的结局?西缅支派到了出埃及后的旷野时代,其数量逐渐减少,以致分配迦南地时未能独立分得地业，而在犹大支派属下分得地业。

利未支派也未能独立分得地业，散居各地。两个支派的遭遇表面上似乎无异，但所蒙的属灵福分却是截然不同。利未支派虽然散住在以色列地中，但他们领受了在神殿里侍奉的圣职，并从其他十一个支派得到供养。

两个支派从雅各领受了同样的预言，而两者的命运却是如此不同，究竟何因？因为他们日后的行为截然不同。

出埃及记32章记载，摩西先知上了西乃山，领受神的诫命时，以色列民铸造金牛犊，当神来崇拜。神的烈怒临到以色列人，摩西向百姓宣布："凡属耶和华的，都要到我这里来！"利未的子孙听罢，都到摩西那里聚集，而且敢于舍己献身，奉行神的命令。因着此事，他们领受了神的祝福。

民数记25章记载，以色列百姓在什亭与摩押女子行淫，从而遭受灭顶之灾的事件。他们与那地的女子苟合，并向她们的神献祭，吃她们的祭物，跪拜她们的神。神的烈怒便向他们发起，瘟疫在百姓中蔓延，许多人由此丧命。

摩西为了使神的烈怒转消，下令处死所有与巴力毗珥连合，就是跪拜摩押人的虚神偶像的以色列人。事已至此，仍有以色列中的一个人，带着一个米甸女人到他弟兄那里去。这恰恰又是西缅支派的人。利未支派的非尼哈见此情景，义愤填膺，持枪跟进那以色列人的亭子里，将行淫的男女当场刺死。这样，瘟疫就在以色列人中止息了。

就着此事，神藉着摩西的口向他们应许："祭司亚伦的孙子、以利亚撒的儿子非尼哈，使我向以色列人所发的怒消了，因他在他们中间，以我的忌邪为心，使我不在忌邪中把他们除灭。因此，你要说：我将我平安的约赐给他。这约要给他和他的后裔，作为永远当祭司职任的约，因他为神有忌邪的心，为以色列人赎罪。"

当以色列百姓犯重罪时，利未支派果敢地站在神面前，冒死奉行圣命，从而领受了祝福的应许。他们虽照雅各的预言散居各方，但却蒙神拣选，代代履行侍奉神的圣职。这样，不论领受祝福的应许，还是咒诅的判语，结局的好坏关键在于人的态度和行为。即便受了咒诅之言，只要在神面前回心转意，力行善道，必能化咒诅为祝福。

4.预言弥赛亚将出于犹大支派

"犹大啊，你弟兄们必赞美你，你手必掐住仇敌的颈项，你父亲的儿子们必向你下拜。犹大是个小狮子。我儿啊，你抓了食便上去；你屈下身去，卧如公狮，蹲如母狮，谁敢惹你？圭必不离犹大，杖必不离他两脚之间，直等细罗（就是"赐平安者"）来到，万民都必归顺。犹大把小驴拴在葡萄树上，把驴驹拴在美好的葡萄树上；他在葡萄酒中洗了衣服，在葡萄汁中洗了袍褂；他的眼睛必因酒红润，他的牙齿必

因奶白亮。"（49章8-12节）

十二子中的第四子犹大临到了祝福之约。从前兄弟们要害死约瑟时，犹大劝服众人，保住了约瑟的性命。当兄弟便雅悯遭偷窃嫌疑，险些在埃及为奴时，犹大挺身而出要替弟弟承当罪罚。

从这些表现可以看出，犹大多少懂得体贴父亲的心意。而且具有舍己为人的品志，对兄弟的友爱虽不及约瑟，但明显胜过其他兄弟们。

雅各说"你弟兄们必赞美你"，预言犹大的后裔将来要得称颂，居以色列民族首位。照此，犹大的后裔大卫建立了强盛的统一王国，成为民族的骄傲，得万人的称颂，正如雅各的预言"你父亲的儿子们必向你下拜"。

"你手必掐住仇敌的颈项"这一祝福的应许，也通过大卫和所罗门平定敌对以色列的周围列国而得以应验。而最核心的意义在于：出身犹大支派的耶稣，打破魔鬼、撒但的黑暗权势，完成救主的使命。

接着说"犹大是个小狮子。我儿啊，你抓了食便上去；你屈下身去，卧如公狮，蹲如母狮，谁敢惹你？"照此预言，出身犹大族系的大卫王，相继征服周边敌国，扩张领土，夯实国力。

"圭"指古代帝王在举行典礼时拿的一种玉器，象征王权。"圭必不离犹大，杖必不离他两脚之间"，便指王权的延续。接下来的内容关乎出生于犹大支派的弥赛亚耶稣。

"直等细罗（就是"赐平安者"）来到"，这里"细罗"是指弥赛亚。"万民都必归顺"表示天下万民要跪拜万王之王，万主之主耶稣。

犹大支派不仅领受了属灵的祝福，在物质上也得到丰盛的恩赐。因为灵魂兴盛，随之凡事兴盛，这是不变的定律。

"他在葡萄酒中洗了衣服，在葡萄汁中洗了袍褂；他的眼睛必因酒红润，他的牙齿必因奶白亮"，预示他们将来在流奶与蜜之地迦南得享和平繁荣与富足。

5. 雅各对西布伦、以萨迦、但的遗言

"西布伦必住在海口，必成为停船的海口，他的境界必延到西顿。以萨迦是个强壮的驴，卧在羊圈之中。他以安静为佳，以肥地为美，便低肩背重，成为服苦的仆人。但必判断他的民，作以色列支派之一。但必作道上的蛇，路中的虺，咬伤马蹄，使骑马的坠落于后。耶和华啊，我向来等候你的救恩。"
（49章13-18节）

雅各预言西布伦的后裔必住在海边。照此，西布伦支派，进入迦南地后分得的领地正是在地中海和加利利海之间。据约瑟夫斯（以色列著名历史学家）史料记载，西布伦支派后来扩张他们的疆

界至地中海沿岸。

接下来是对以萨迦的预言："以萨迦是个强壮的驴，卧在羊圈之中。他以安静为佳，以肥地为美，便低肩背重，成为服苦的仆人。""强壮的驴"以萨迦支派后来虽形成大族，但未能脱颖而出，而以农耕和作苦工为生。

雅各对但的遗言是："但必判断他的民，作以色列支派之一。但必作道上的蛇，路中的虺，咬伤马蹄，使骑马的坠落于后。耶和华啊，我向来等候你的救恩。"

圣经出现"但"的地名。此地原名叫拉亿，但支派占领此地后，照他们祖先的名命名此地。而此地却成为十足的偶像崇拜的温床。

统一王国以色列，在所罗门之子罗波安在位时，分裂成南北两朝。北朝以色列的统治者耶罗波安为了阻止百姓到耶路撒冷祭祀神，铸造两个金牛犊，分别放在伯特利和但。但自然就成了偶像崇拜的中心，但支派也快速沾染拜偶像的风俗（列王纪上12章27-30节）

在但支派的影响下，众人沉迷于淫风败俗，走向灭亡。雅各指着但支派预言道："但必作道上的蛇，路中的虺，咬伤马蹄，使骑马的坠落于后。"据启示录第7章的记载可知，但支派最终被剪除，不在以色列十二支派之列。

"但必判断他的民，作以色列支派之一"，这不是指但支派有权判断他的民，而表示但支派的行径作为一个典型，成为审判众人的标准。也就是说凡往但支派的错谬里直奔的人必遭灭亡。

尽管如此，神切愿但支派悔改归正，获得救恩（提摩太前书2章4节）。雅各在预言的末后提到"耶和华啊，我向来等候你的救恩"。是对但支派的婉转嘱托，希望但支派不失得救的指望，恒心求赖神的恩典。同时也隐含着父亲为儿子向神代求那慈恩怜恤的迫切心情。

6. 雅各对迦得、亚设、拿弗他利的遗言

"迦得必被敌军追逼，他却要追逼他们的脚跟。亚设之地必出肥美的粮食，且出君王的美味。拿弗他利是被释放的母鹿，他出嘉美的言语。"（49章19-21节）

针对迦得，雅各预言说"必被敌军追逼，他却要追逼他们的脚跟"，表示他们骁勇善战。

摩西先知也提到："论迦得说：使迦得扩张的应当称颂。迦得住如母狮，他撕裂膀臂，连头顶也撕裂"（申命记33章20节）形容其豪壮勇猛。

大卫因怕扫罗王，躲在洗革拉的时候，迦得支派中好些勇士投奔大卫，经上指着他们说"都是大能的勇士，能拿盾牌和枪的战士。他们的面貌好像狮子，快跑如同山上的鹿"（历代志上12章8节）。

雅各接着对亚设说"亚设之地必出肥美的粮食，且出君王的美

味"。征服迦南后,亚设支派所分得的领地是地中海沿岸的一片肥美的平原。土壤肥沃,水源丰富,是盛产大麦和粮油的宝地。这里的农产品作为宫廷贡品。

亚设支派虽无丰功伟绩,但他们得益于得天独厚的地理位置而得享比较安定的生活。

又对拿弗他利说"拿弗他利是被释放的母鹿,他出嘉美的言语"。该支派有着"英勇的战士"之称,正合对他"被释放的母鹿"的形容。

在士师时代,拿弗他利支派亚比挪庵的儿子巴拉,奉女先知底波拉之命出战,制伏迦南王耶宾,救以色列民脱离其长达二十年的欺压(士师记4章6节;5章15节);在基甸攻打米甸时,该支派也立了大功(士师记6章35节;7章23节)。

士师记第5章记载底波拉和亚比挪庵的儿子巴拉唱诗赞美神的情景。诚如雅各预言"他出嘉美的言语",他们善于歌唱。

7.雅各对约瑟和便雅悯的遗言

"约瑟是多结果子的树枝,是泉旁多结果的枝子,他的枝条探出墙外。弓箭手将他苦害,向他射箭,逼迫他。但他的弓仍旧坚硬,他的手健壮敏捷,这是因以色列的牧者,以色列的磐石,就是雅各的大能者。你父亲的神必帮助你,那全能者必将天上所有的福,地里所藏的福,以及生产乳养的福,都赐给你。你父亲所祝的福,胜过我祖先所祝的福,如永世的山岭,至极的边界;这些福必降在约瑟的头上,临到那与弟兄迥别之人的顶上。便雅悯是个撕掠的狼,早晨要吃他所抓的,晚上要分他所夺的。"这一切是以色列的十二支派,这也是他们的父亲对他们所说的话,为他们所祝的福,都是按着各人的福分,为他们祝福。(49章22-28节)

第十一个儿子约瑟,从父亲雅各领受了极大的祝福。首先查考"约瑟是多结果子的树枝,是泉旁多结果的枝子,他的枝条探出墙外"。

表示约瑟的子孙后代好比栽在泉水旁的树,遇到干旱,叶子也不枯干,常享繁荣与丰足,不为逆境所困阻,而且惠及其他支派。又说全能的神必作他们随时的帮助,抵挡敌人一切的攻击。

又说"你父亲的神必帮助你,那全能者必将天上所有的福,地里所藏的福,以及生产乳养的福,都赐给你",且说给约瑟所祝的福,胜过祖先,即以撒给雅各所祝的福,这是永远不变的应许,必定成就。

"那与弟兄迥别之人"指约瑟的后裔要出类拔萃。照此,约瑟的子孙分得迦南地的中心地带为基业,得享丰足的生活。

约瑟领受的祝福最为巨大丰盛:长子的名分归于他,得享了实质性的长子福分;他还通过儿子玛拿西和以法莲拥有两个支派的份额。所以以色列人指着他们祝福说:愿神使你如以法莲、玛拿西一样（创世记48章20节）。

最后是便雅悯，说道："便雅悯是个撕掠的狼，早晨要吃他所抓的，晚上要分他所夺的。"

表示便雅悯支派好战的特性。便雅悯是雅各的爱妻拉结所生，若是顾念人情，理应祝更大的福给他。而雅各口中的一切言语，都非出于人意，乃是神亲自指示他的。

照雅各的预言，便雅悯支派出了很多出色的弓箭手和投石手。该支派虽然未能形成大族，但征服迦南后，他们所得为业之地包括耶利哥、伯特利、基遍、拉玛、米斯巴、耶路撒冷等重要城邑。

后来便雅悯支派在以色列王国南北分裂时，惟与犹大支派联合，为大卫王族效忠。新约时代最伟大的使徒——保罗，也是便雅悯支派的人。

神参透万事，照人所行的报应人。雅各口出祝福或咒诅之言，非他自己意志的选择，而是照神的感动和指示。是根据雅各的十二个儿子过往经历和将来遭遇，分别所赐的祝言；也是按各人对神的信仰、品格、心志，器量所赐予的。

这些预言在后世如实成就。不过对雅各众子的预言，并非决定每个人的命运。各支派的总体命运与其所领受的预言相吻合，而个人所蒙的福分或命运遭际，则取决于个人遵行神旨，活出真理的程度。

8.雅各嘱托众子把他归葬迦南地

> 他又嘱咐他们说:"我将要归到我列祖(原文作"本民")那里,你们要将我葬在赫人以弗仑田间的洞里,与我祖我父在一处,就是在迦南地幔利前、麦比拉田间的洞。那洞和田是亚伯拉罕向赫人以弗仑买来为业,作坟地的。他们在那里葬了亚伯拉罕和他妻子撒拉,又在那里葬了以撒和他妻子利百加,我也在那里葬了利亚。那块田和田间的洞,原是向赫人买的。"雅各嘱咐众子已毕,就把脚收在床上,气绝而死,归他列祖(原文作"本民")那里去了。(49章29-33节)

在临终时刻,雅各回首往事,念到神在他生命中无微不至的看顾、保守和指引,内心涌现出无限感慨。

因欺哄哥哥和父亲,被迫投靠母舅,经受二十余年的熬炼,饱经艰辛,前途茫然。而此时回想起来,一切都是出于神的爱,旨在使他更新心意,完善信仰。

争强好胜,绝不吃亏的性格;为了达成目的,不惜一切的心计手段……然而一切都是枉然,全都归为虚空,所换来的只有痛苦的磨难。然而在神细致的带领中,得以发觉并破除老我,获得全新的改变。雅各更深地感悟到一切尽在神的恩典中。

此时雅各深悟属世的一切尽都虚空,犹如转瞬即逝的云雾。想到即将归入神的怀抱,得享真安息,心中充满对神的感恩,埋在心底的忧伤、苦痛和遗恨全都化为乌有。

以色列的先祖雅各,分别给作十二支派之始祖的众子留下遗言后,嘱咐他们要把他葬在列祖的坟茔里。

就是祖父亚伯拉罕和祖母撒拉、父亲以撒和母亲利百加、妻子利亚所葬之地,早先亚伯拉罕从赫人以弗仑买妥的迦南地幔利前的麦比拉洞。表明他直至生命的最后一刻,依然坚信神向他所作"领你归回应许之地"的承诺。

以色列的先祖雅各在神的旨意下迁居埃及,临终之时,子孙齐聚,安然辞世,享年一百四十七岁。为他波澜曲折,跌宕起伏的人生画上了句号。

拓展分享五

以色列在埃及成为大族

据创世记46章的记载，迁居埃及地的雅各的子孙共有七十名。他们经时任埃及宰相约瑟之帮助，躲避迦南地的严重饥荒，定居在埃及的歌珊地。神使雅各的子孙在文明发达，土地肥沃，环境优良的埃及地，繁衍生息，发展壮大。

在古代近东的中心埃及，以色列的先祖雅各的子孙，在宰相约瑟的护佑下，取得了迅猛的发展。约瑟和那个时代的人都死了，以色列子孙日趋繁茂昌盛，形成庞大的族群（出埃及记1章7节）。这是神对祂早先与信心之父亚伯拉罕所立之圣约的兑现。

耶和华又有话对他说：
"这人必不成为你的后嗣，
你本身所生的才成为你的后嗣。"
于是领他走到外边，说：

"你向天观看,数算众星,能数得过来吗?"
又对他说:"你的后裔将要如此。"
(创世记15章4、5节)

在神的旨意下,以色列子孙人口数量以惊人的速度增多,但自从不认识约瑟的新王起来治理埃及的时候,他们开始受到压制。

对他的百姓说:
"看哪,这以色列民比我们还多,又比我们强盛。
来吧!我们不如用巧计待他们,
恐怕他们多起来,日后若遇什么争战的事,
就连合我们的仇敌攻击我们,离开这地去了。"
(出埃及记1章9、10节)

埃及统治者强迫以色列人服苦役,甚至令希伯来收生婆,凡初生的男婴都要杀死,不可存留。然而,因神的恩典,以色列人在残忍的压迫中反而人数越发增多,极其繁茂强盛(出埃及记1章11-21节)。

后来摩西长大,作了埃及的王子,以至八十岁蒙召为以色列人的领袖,领以色列人出离埃及的时候,以色列民人口规模单是步行的男人约有六十万(出埃及记12章37节),加上妇孺老少,估计足有二百多万。

第十二章

雅各的葬礼与约瑟的寿终

约瑟预备雅各的葬礼

求你让我上迦南地去葬我父亲

隆重的葬礼显神的荣耀

不要害怕,我岂能代替神呢

你们要把我的骸骨从这里搬上去

1. 约瑟预备雅各的葬礼

> 约瑟伏在他父亲的面上哀哭,与他亲嘴。约瑟吩咐伺候他的医生,用香料薰他父亲,医生就用香料薰了以色列。薰尸的常例是四十天;那四十天满了,埃及人为他哀哭了七十天。(50章1-3节)

约瑟把父亲领到埃及,精诚服侍他十七年。而他总觉得自己因治国重任所累,未能对父亲作出更多的照应,心中有些遗恨。当下面对父亲的遗容,难抑心中的悲痛,便伏在父亲的面上放声哀哭,又深情地与他亲嘴告别。

以色列人的先祖是雅各。神给从巴旦亚兰归来的雅各赐下新名"以色列"(创世记35章9-12节),以色列民族便由此新名而诞生。

从信心之父亚伯拉罕、以撒,直到雅各这一代,奠定了以色列民族形成的环境基础。雅各的十二个儿子,以及约瑟的两个儿子,成为十二支派的中心,形成以色列民族。雅各的死,意味着以亚伯拉罕、以撒、雅各为中心的族长时代已拉下帷幕，神的选民以色列登上了历史舞台。

以色列的先祖雅各的葬礼非常隆重。约瑟安排伺候他的医生，用香料薰他父亲。医生用香料薰他父亲的时间长达四十天。"香料熏尸"即所谓"木乃伊"。

古埃及人相信人可以死而复生，所以殓葬尊贵人物，必用香料熏尸。当然，古埃及人对复活的解释，与基督教迥然有别。他们熏制木乃伊，将人的遗体保存长久，以寄托他们对永生的憧憬和盼望。

那么，约瑟为何选择照埃及的惯例，办他父亲的葬礼？时下约瑟已进入高深的属灵境界，深明来世的奥秘并死者的身体在末日必得复活。故选择埃及的殓葬方式，尽量要使父亲的遗体保存完好。

雅各的葬礼举行了七十天。雅各家眷和埃及人为约瑟的父亲雅各哀哭了七十天。从古埃及为国王哀悼七十二天的规矩看，对雅各的规格待遇仅次于君王，与王族并列。

外邦人雅各的死，能让埃及人哀哭七十天，这绝非能勉强为之。再者要得到与王族同等的规格待遇，若没有法老众臣的同意是行不通的。这说明约瑟以忠信诚实，无私的奉献与牺牲，博得众人的信赖、仰慕和敬爱。

对宰相约瑟由衷的景仰和崇敬，使埃及人为其父亲雅各的死，哀哭悼念数月之久。因着神人约瑟，神丰富的恩典临到整个雅各家族。

2. 求你让我上迦南地去葬我父亲

> 为他哀哭的日子过了，约瑟对法老家中的人说："我若在你们眼前蒙恩，请你们报告法老说：我父亲要死的时候叫我起誓说：你要将我葬在迦南地，在我为自己所掘的坟墓里。现在求你让我上去葬我父亲，以后我必回来。"法老说："你可以上去，照着你父亲叫你起的誓，将他葬埋。"（50章4-6节）

由于当时交通不发达，从埃及往返迦南地需要很长一段时间。约瑟前往迦南地安葬他的父亲，其间不能料理国事，需要得到法老的准许。但约瑟并没有直接向法老请命，而是托法老家中的人转告法老。因为他深知法老的心意。

法老将所有国事政务全权交给了约瑟，然而在法老看来，约瑟毕竟不是埃及人，说不定某一天辞去官职，离他而去。约瑟参透法老的心思，恐怕当面向法老请假，会使法老疑虑不安。

为了不给法老造成不必要的担忧，约瑟选择法老身边的亲信托付这件事，使法老能够毫无顾虑地答应他的请求。可以看出约瑟服侍法老，忠信真诚，体贴入微，面面俱到。

约瑟以极其谦卑的口吻对法老家中的人说："我若在你们眼前

蒙恩，请你们报告法老说：我父亲要死的时候叫我起誓说：你要将我葬在迦南地，在我为自己所掘的坟墓里。现在求你让我上去葬我父亲，以后我必回来。"

约瑟救埃及于危亡之中，对埃及人恩重如山。然而他并不居功自满，反而感恩他们对自己的支持和拥戴。可以看出约瑟与法老家中的亲信素有亲密交情。约瑟不因自己功勋卓著而自高，反而更以谦卑的情怀，服侍的姿态为人处事。

人有了一点成就，有了一点功劳，总想让他人知道，以期得到认可和称颂，并有施恩图报之心。

像这样，追求功名，希图回报的人，得不到别人的赞赏。他们虽然施助与人，也很难得人由衷的谢恩，因为施之有图。喜欢得人赞赏的人，他们已经得了他们的赏赐，在天则一无可得。经上说"要叫你施舍的事行在暗中，你父在暗中察看，必然报答你"（马太福音6章2-4节）。

约瑟不因丰功伟绩而炫示或标榜自己。反而更以谦和的心，关照和恩待周围的人，从而博得众人由衷的敬仰和爱戴。这在他父亲的葬礼上充分体现出来。

约瑟托法老身边的人请求法老，准他前往迦南地去安葬他的父亲，就是照着自己向父亲所起的誓，要把父亲葬在他列祖的坟茔里。法老慷慨允诺。

3.隆重的葬礼显神的荣耀

> 于是约瑟上去葬他父亲。与他一同上去的,有法老的臣仆和法老家中的长老,并埃及国的长老;还有约瑟的全家和他的弟兄们,并他父亲的眷属,只有他们的妇人孩子,和羊群牛群,都留在歌珊地;又有车辆马兵,和他一同上去,那一帮人甚多。他们到了约旦河外、亚达的禾场,就在那里大大地号啕痛哭。约瑟为他父亲哀哭了七天。迦南的居民见亚达禾场上的哀哭,就说:"这是埃及人一场极大的哀哭。"因此那地方名叫亚伯麦西,是在约旦河东。雅各的儿子们就遵着他父亲所吩咐的办了,把他搬到迦南地,葬在幔利前、麦比拉田间的洞里。那洞和田是亚伯拉罕向赫人以弗仑买来为业,作坟地的。约瑟葬了他父亲以后,就和众弟兄,并一切同他上去葬他父亲的人,都回埃及去了。(50章7-14节)

在以色列的先祖雅各的葬礼上,与约瑟一同前往迦南地的有法老的臣仆、长老,还有雅各家族;又有车辆马兵。其规模巨大,极其隆重,堪称国葬。表明埃及国王和百姓对约瑟的父亲雅各的高度崇敬。

这是神对雅各谨遵神旨,完成圣命的肯定和赏赐。另一方面也是其子约瑟博得埃及法老的信赖和百姓的敬仰与爱戴的明证。

约瑟隆重举行他父亲的葬礼,意在尽显神的荣耀。在埃及人眼里雅各是寄居埃及的一个外邦族长。约瑟想要藉着这盛大的葬礼，让埃及人记住他父亲是神人，同时要证明蒙神大爱的人所蒙的福分和尊荣何等之大，以使神的名得到荣耀。

人们常说，善行必有善报。素有善行美德的人，有难必有多人相助。待人宽和仁慈，谦卑服侍的人，有口皆碑，众人归心，遇到困难的时候，就会得到众人慷慨相助。

且论助人，在主里面，不论何人，我们都当给予关照和帮助，不能单助那与己相好的人，这才是真爱和真善的体现（马太福音5章46、47节）。身为神的儿女，只有爱人不求自己益处；助人不存功利之念，才能作出发自真诚的关照和服侍。

约瑟作埃及宰相时，博爱无私，造益众人，活出真爱，众望所归，得到极其尊贵的待遇，他父亲得到王族规格盛大隆重的葬礼，正是其鲜明的例证。

车辆马兵和送葬的人群，经过多日跋涉到达迦南地。他们到了约旦河外、亚达的禾场，在那里哀哭七日。哀哭的声音之大，甚至迦南人给那地取名为"亚伯麦西"，意为"埃及人一场极大哀哭"。雅各的儿子们遵照他父亲的遗嘱，将父亲雅各安葬幔利前、麦比拉田间的洞里，就是他们的曾祖父亚伯拉罕的坟茔。

殡葬结束后，约瑟立刻回埃及去，刻不耽延地履行他向法老所作"事后必回"的承诺。"大事已了结，稍微歇息休养；回到阔别几十年的家乡，多住些日子再回去"，在约瑟毫无这样的念头。约瑟向来信守承诺，言出必行，从而得到法老的信任和众人的信赖与尊敬。

信守自己口中的言语，至关重要。"这次情况特殊，不能履约，应该能理解吧！""这种程度，应该问题不大！"——以种种借口和理由，动辄改口、背约的人，不仅失信于人，更是失信于神。

4.不要害怕，我岂能代替神呢

> 约瑟的哥哥们见父亲死了，就说："或者约瑟怀恨我们，照着我们从前待他一切的恶，足足地报复我们。"他们就打发人去见约瑟，说："你父亲未死以先吩咐说：'你们要对约瑟这样说：从前你哥哥们恶待你，求你饶恕他们的过犯和罪恶。'如今求你饶恕你父亲神之仆人的过犯。"他们对约瑟说这话，约瑟就哭了。他的哥哥们又来俯伏在他面前，说："我们是你的仆人。"约瑟对他们说："不要害怕，我岂能代替神呢？从前你们的意思是要害我，但神的意思原是好的，要保全许多人的性命，成就今日的光景。现在你们不要害怕，我必养活你们和你们的妇人孩子。"于是约瑟用亲爱的话安慰他们。（50章15-21节）

办完父亲的葬礼，回到埃及的约瑟的兄弟们，心中又起了一种疑虑：父亲死了，约瑟会不会照着他们过去的恶行，足足地报复他们。

兄弟们托已故的父亲之言，央求约瑟饶恕他们的过犯。因不敢当面求，他们就打发人去转告这话。

约瑟听罢哀伤落泪。他早已宽恕他兄弟们的过犯，毫无遗怨，反而尽心尽力服侍他们十七年于埃及，而兄弟们却仍不知他的心。悲悯之情在他心头油然而生。

兄弟们要揣度约瑟的心，实为很难的，因为换了他们，绝不能做到约瑟那样的饶恕。他们一直觉得约瑟宽待他们，只是为他年迈的老父着想的缘故。而今父亲不在了，他们便开始忧惧和不安起来。

属肉体的人看人，是照自己的成见。往往按自己的品性去推度别人的心。面对这样的兄弟们，约瑟心里十分难过。约瑟念到兄弟们所处的立场境地和所受的痛苦，更是为之悲哀恻悯。这样，属灵的人哀悯别人不知其心，更是哀悯别人曲解其心自取愁苦。

约瑟的兄弟们打发人向约瑟提说父亲生前嘱托，仍觉得心里不踏实，于是当面谒见约瑟，俯伏在地，向约瑟赔罪，并说："我们是你的仆人。"约瑟并没有责怪他们误解他的心，反而以"亲爱的话"安慰他们："不要害怕，我岂能代替神呢？从前你们的意思是要害我，但神的意思原是好的，要保全许多人的性命，成就今日的光景。"

约瑟向兄弟们重申：虽然你们从前有意害我，但一切都是神照祂旨意所许可的，神使万事都互相效力，终究使父亲的全家获得拯救。并说"我必养活你们和你们的妇人孩子"，向兄弟们承诺要供养他们和他们的儿女，进一步安抚兄弟们的心。这表明约瑟已超越感化害己之人的境界，达到能为仇人舍命的至善之境。

5.你们要把我的骸骨从这里搬上去

> 约瑟和他父亲的眷属都住在埃及。约瑟活了一百一十岁。约瑟得见以法莲第三代的子孙；玛拿西的孙子玛吉的儿子也养在约瑟的膝上。约瑟对他弟兄们说："我要死了，但神必定看顾你们，领你们从这地上去，到他起誓所应许给亚伯拉罕、以撒、雅各之地。"约瑟叫以色列的子孙起誓说："神必定看顾你们，你们要把我的骸骨从这里搬上去。"约瑟死了，正一百一十岁。人用香料将他薰了，把他收殓在棺材里，停在埃及。（50章22-26节）

约瑟深明神成就以色列民族于埃及的宏大计划和旨意。十七岁被卖为奴，三十岁当埃及宰相，其家族迁居埃及，为以色列民族的形成打下基础，这一切尽在神的旨意中。因而，父亲去世后，约瑟仍然悉心照顾他兄弟和他们的后代。

光阴荏苒，约瑟一百一十岁，走到了人生的尽头。被卖至埃及已过九十三年；为法老解梦，担宰相重任已有八十年；安葬父亲于祖墓已相隔五十余年。约瑟得见以法莲第三代的子孙，玛拿西的孙子玛吉的儿子也养在他的膝上。

约瑟与所有人保持和睦，包括君王、诸臣和百姓，以及父亲、兄弟，甚至家宰、侍从。而这是建立在与神和睦并与己和睦的基础之上的。约瑟心无邪恶，纯全至善，谨遵神的旨意；宽以容人，理解体谅，悉心关照，谦卑服侍。事事处处和睦融洽，毫无隔阂嫌隙。

凡事以善的智慧去应对，故无人对他嫉妒、抱怨或反对。与神和睦，与己和睦，自然与众人和睦，心里常有平安喜乐。其中最关键是得成与神和睦。不能为了与人和睦而打破与神之间的和睦。

约瑟宁可蒙冤受屈也不肯得罪神。坐了冤狱，也不曾抱怨"遵行神的旨意，为何反遭苦难"，反而感恩称谢，欢喜快乐。这就是与神和睦的体现。当我们追求与神和睦时，有时似乎打破了与人和睦，但结局是蒙神加倍的福分，与人之间的和睦也很快得到恢复。

约瑟因坚信神的慈爱与信实，便将一切向神交托和仰望。他将诸事与神善美的旨意联系起来思考，对任何事任何人，都不曾抱有不平或怨恨。反而越发降卑自己，以谦和与良善之心去服侍所有的人。约瑟的感人事迹，给埃及人心中留下深深的印象。

根据出埃及记第一章的记载，可以得知约瑟在埃及人心目中的地位。埃及对以色列民族的迫害是从不认识约瑟的君主掌权开始的，是以色列人迁居歌珊地时隔300年以后的事。这意味着什么呢？

表明宰相约瑟救埃及和周边邦国于七年荒灾之中的显赫功名，

在埃及流传数百年，以色列人得享安定的生活。以色列民族在约瑟的影响力下，长期定居埃及，顺利发展成大族。

无论在肉体层面，还是在灵性层面，约瑟活出了完全无可指摘的境界。临终时，约瑟对他的兄弟们说："我要死了，但神必定看顾你们，领你们从这地上去，到他起誓所应许给亚伯拉罕、以撒、雅各之地。"表明他坚信他的家族将来必成为大族，离开埃及，归回迦南福地。

约瑟吩咐儿女们离开埃及回迦南地时，要把他的遗骸带去。"神必定看顾你们，你们要把我的骸骨从这里搬上去"，表示自己得葬于应许之地的迫切心愿。

约瑟知道以色列民得进应许之地迦南，非短时间内成就。于是嘱托他们，将来以色列民归回迦南时，要把他的骸骨一同带去。约瑟希望儿女们永记不忘神向他们所定的旨意。当下他们在埃及安居乐业，而他们的后代子孙将来必离开埃及归回神应许他们的福地迦南。

约瑟完成了神托付于他的使命重托，在亲人的陪伴中安然离世。他留下的遗嘱，过了数百年后得以兑现。

出埃及记13章19节记载："摩西把约瑟的骸骨一同带去，因为约瑟曾叫以色列人严严地起誓，对他们说：'神必眷顾你们，你们要把我的骸骨从这里一同带上去。'"

约书亚记24章32节也提到:"以色列人从埃及所带来约瑟的骸骨,葬埋在示剑,就是在雅各从前用一百块银子向示剑的父亲哈抹的子孙所买的那块地里,这就作了约瑟子孙的产业。"这样,约瑟的骸骨在以色列人占领迦南地并分配地业之后,葬埋于示剑。

我的神,我心爱的神!
在我懵懂无知的时候,您早已看在眼中,
您时常引导我,用您的真理造就我得以完全,
我的神,我要感谢您!
我一生一世平安稳妥,
凡事顺利,万事亨通,全因我父之宏恩,
我虽卑微渺小,
却蒙父的眷顾和引导,终得成为完全人,
使众人因我屈膝敬拜耶和华我的神,
使我成为成就您旨意的器皿,我要感谢您!

我即将闭目离开世间,
日后将成的事,必按神的计划和旨意成全,
人们常记不忘神的恩典。
惟愿您恩典之光照耀万众,
惟愿人们将您的恩典常记心中,
让感恩的心灵常蒙您的启悟引领。

为神的选民以色列民族的形成奠定基础，拯救无数人的生命于灾难之中的约瑟，生平因信常常喜乐，凡事谢恩，胜过一切试炼，专心仰望神的美意。他蒙冤遭难而毫无怨言，反而省躬自咎力求完全，为所托付于自己的使命诚然尽忠。神就使他诸事亨通，得万人称颂。这般卓越的品性，使约瑟能够得神重用，成为拯救万众生命的伟大神人。

拓展分享六

埃及人和希伯来人的葬礼制度

葬礼，是具有仪式礼节规范的对死者的安置方式，包括土葬、火葬等形式，承载着当代人的来世观和文化精神。古埃及人和希伯来人的葬礼，呈现出不同的来世观。

埃及人的殡葬礼俗

古埃及人的宗教和文化，反映出对人类死后生活的憧憬。他们早先所具有的复活之信仰，造就了"木乃伊"这一独特的葬礼文化。埃及人起初认为惟有法老能享有来世的生活，但随着时代的变迁，人们渐渐相信凡人死后都要迎接来生。同时木乃伊也从法老专享，慢慢发展成到大臣，再到百姓，全民通享的传统礼俗。

木乃伊的制作是从死者遗体中取出除了心脏以外的内脏，再填充旷野中提取的天然盐，以对尸体进行脱水后，涂上松脂进行防腐、防蛀处理，然后用亚麻布包裹尸体二十层，每裹一层都要涂上松脂粘牢。

制成的木乃伊，通常保存在洞穴或金字塔中，而在古埃及人看来，这不单纯是坟墓，而是故人居住和生活的空间。墓穴里配备一些家具和器具，以供故人来世生活所用。

墓穴中的壁画或文字所描绘的内容包括故人坐在桌前用餐的场面，以及日常生活情形，或宗教仪式等，里面还摆放一些小型人形塑像（Shabti），认为这些塑像可侍候在阴间的故人。

希伯来人的殡葬礼俗

人死后，希伯来人先用手合上死者的眼帘，然后把尸体洗净（使徒行传9章37节），其上抹香膏或没药，用细麻布包裹身体（马太福音27章59节；约翰福音19章39、40节），随后将遗体运往葬地。由故人的家属亲友送葬。

葬礼大体在死者死亡当天举行。之所以选择不出一天进行下葬，一是考虑到当地气温高，尸体腐朽快，二是为了避免被玷污（申命记21章23节；约翰福音19章31节），即希伯来人认为接触尸体是不洁净的（民数记5章2节）。

坟墓一般设在洞穴或凿成的丘洞，安葬故人后，为之哀哭七日（创世记50章10节以下；撒母耳记上31章13节）。而也有例外，如为雅各哀哭七十日，为摩西和亚伦哀哭三十日（民数记20章29节；申命记34章8节）。在哀哭之日，或作哀歌以悼念死者，典型例子是大卫为阵亡的扫罗和约拿单所作的哀歌（撒母耳记下1章19-27节）。

另外，希伯来人以人死后得不到安葬为最大的耻辱。例如，耶洗别死后，其尸首被狗所吃，无人葬埋（列王纪下9章10节），这是对她最严厉的审判，也是最大的咒诅和耻辱。使北朝以色列陷在拜偶像之罪的耶罗波安王（列王纪上14章11节）和接续其王位的巴沙（列王纪上16章4节）也沦为同样的下场。

希伯来人不像埃及人葬埋尸体时为死者配备其在阴间生活用的陪葬品。因为他们相信人的灵是往上升（传道书3章21节）；死而腐朽，归为尘土的身体必然复活，并与自己的灵魂结合（但以理书12章2节）。

神约言的通道——约瑟

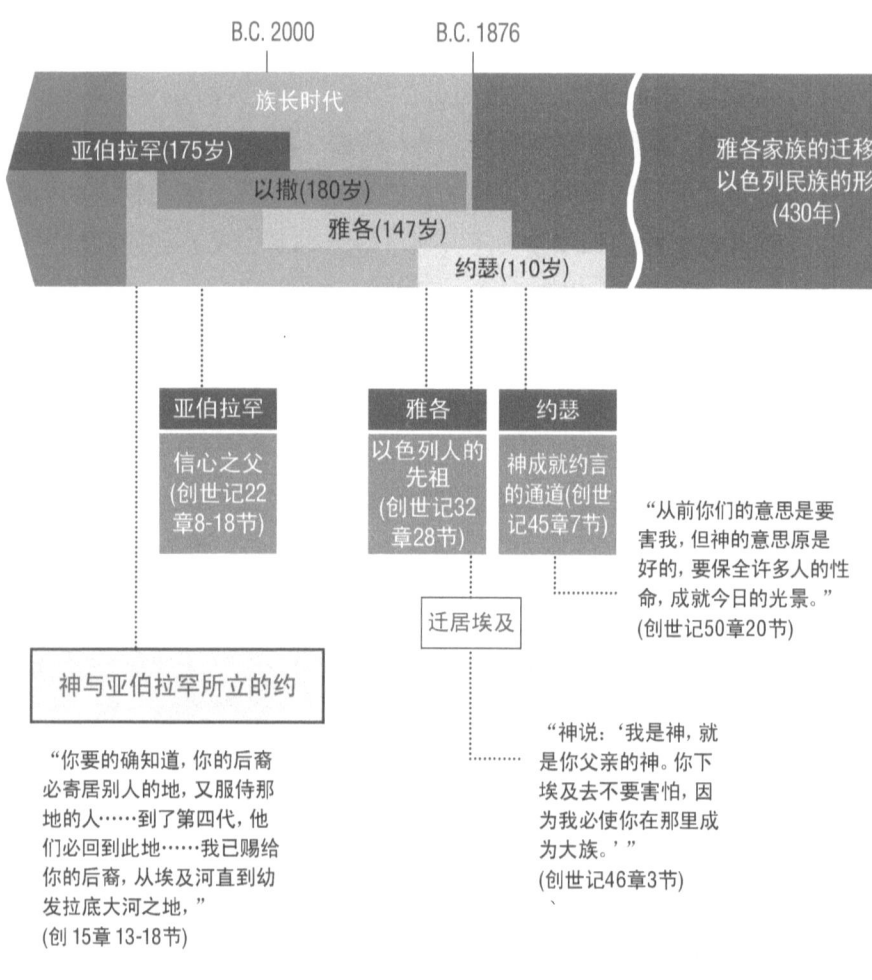

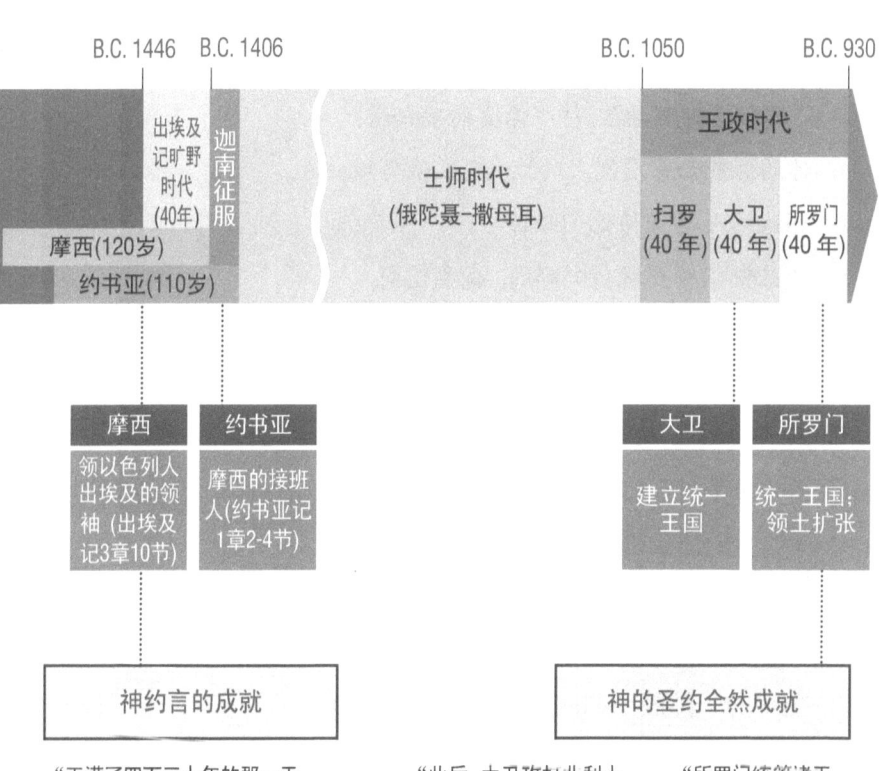

神"火把之约"和预言的成就

创世记15章记载,神在异象中指示亚伯拉罕(亚伯兰)说:将来他的后裔在埃及寄居四百年后归回迦南地。说完,在黑暗中烧着的火把从祭物中经过,故名"火把之约"。

"耶和华对亚伯兰说:'你要的确知道,
你的后裔必寄居别人的地,又服侍那地的人,
那地的人要苦待他们四百年。
并且他们所要服侍的那国,我要惩罚,
后来他们必带着许多财物从那里出来。
但你要享大寿数,平平安安地归到你列祖那里,被人埋葬。
到了第四代,他们必回到此地,
因为亚摩利人的罪孽还没有满盈。'"
(创世记15章13-16节)

神在经上记着说以色列人在埃及为奴受苦期间为四百年,即亚伯拉罕的子孙截至归回迦南地经过了四百年。

使徒行传7章6节也提到:"……那里的人要叫他们作奴仆,苦待他们四百年。"而出埃及记12章40、41节记载:"以色列人住在埃及共有四百三十年。正满了四百三十年的那一天,耶和华的军队都从埃及地出来了。"这里则说是四百三十年。加拉太书3章17节的记载也是一样"我是这么说:神预先所立的约,不能被那四百三十年

以后的律法废掉，叫应许归于虚空。"

那么，在记录上呈现这种差异的原因在哪里？所谓四百年，是依着人均寿命，以一个世代为一百年，"四代"便是四百年。即四百年是四代的概数。实际上，以色列民住在埃及的具体时间为四百三十年。

关于四百三十年的始末，有几个不同的解释，而普遍支持的观点是：始于雅各举家迁往埃及的公元前1876年，止于埃及事件发生的公元年前1446年（正好四百三十年）。

雅各家族定居埃及有三百余年的时候，以色列人极其繁盛，具备了大族的规模。那时有不认识约瑟的新王起来，治理埃及。以色列人的繁茂强盛，对法老而言是一种威胁，于是采取奴役的方式苦待以色列民。以色列民不堪法老的压迫苦虐，就叹息哀求。神垂听他们的哀声诉求，就记念祂与亚伯拉罕、以撒、雅各所立的约。

"到了第四代，必回到列祖之地"这一圣约的实现已近了，迦南地居民的罪孽已满盈，对他们的刑罚不容耽延。于是神预备一个将以色列民领入迦南地的领袖，他就是摩西。

"有希伯来的两个收生婆，一名施弗拉，一名普阿。
埃及王对她们说：

'你们为希伯来妇人收生，看她们临盆的时候，
若是男孩，就把他杀了；若是女孩，就留她存活。'
但是收生婆敬畏神，
不照埃及王的吩咐行，竟存留男孩的性命。……。"
"法老的女儿来到河边洗澡，
她的使女们在河边行走。她看见箱子在芦荻中，
就打发一个婢女拿来。她打开箱子，看见那孩子。
……'你把这孩子抱去，为我奶他，我必给你工价。'
……孩子渐长，妇人把他带到法老的女儿那里，
就作了她的儿子。她给孩子起名叫摩西，……。"
（出埃及记1章15-22节；2章5-10节）

摩西作埃及王子的时候，因打死虐待自己同族的埃及人，被迫逃离埃及到了米甸，寄人篱下，牧羊四十年。这一切尽在神的旨意中，旨在炼净摩西，使他成为引导以色列民出埃及的领袖。

时候满足，神立摩西为以色列百姓的领袖，派他向法老要求释放以色列民。出埃及记第5章以下记载，埃及法老抗拒摩西所传的圣命，神就降十灾于埃及，使摩西引领以色列百姓出离埃及。

"以色列人从兰塞起行，往疏割去，
除了妇人孩子，步行的男人约有六十万。

又有许多闲杂人,并有羊群牛群,和他们一同上去。
……以色列人住在埃及共有四百三十年。
正满了四百三十年的那一天,
耶和华的军队都从埃及地出来了。
这夜是耶和华的夜,因耶和华领他们出了埃及地,
所以当向耶和华谨守,是以色列众人世世代代该谨守的。"
(出埃及记12章37-42节)

神照着祂向亚伯拉罕(亚伯兰)所立的约,释放以色列民于奴役之中,并使他们带着许多财物前往应许之地。由此可知,约瑟被卖至埃及为奴,后来成为埃及的宰相,其兄弟们迁居埃及,四百多年后以色列民出离埃及,一切尽是在神的旨意中所成的。

创世记15章所记载的圣约,在圣经诸约中居于核心地位。从历史层面看,是通过征服迦南,获得以色列的复兴,而从属灵层面看,则包涵着"因罪与神隔绝的人类,恢复神的形像,重生为神的儿女"这一重大蕴意。

赐迦南地为业的应许和预言的实现

神与亚伯拉罕（亚伯兰）立火把之约的时候，向亚伯拉罕指示其子孙将来所得为业的迦南美地之境界。

"当那日，耶和华与亚伯兰立约，
说：'我已赐给你的后裔，从埃及河
直到幼发拉底大河之地，
就是基尼人、基尼洗人、甲摩尼人、赫人、
比利洗人、利乏音人、亚摩利人、迦南人、
革迦撒人、耶布斯人之地。'"（创世记15章18-21节）

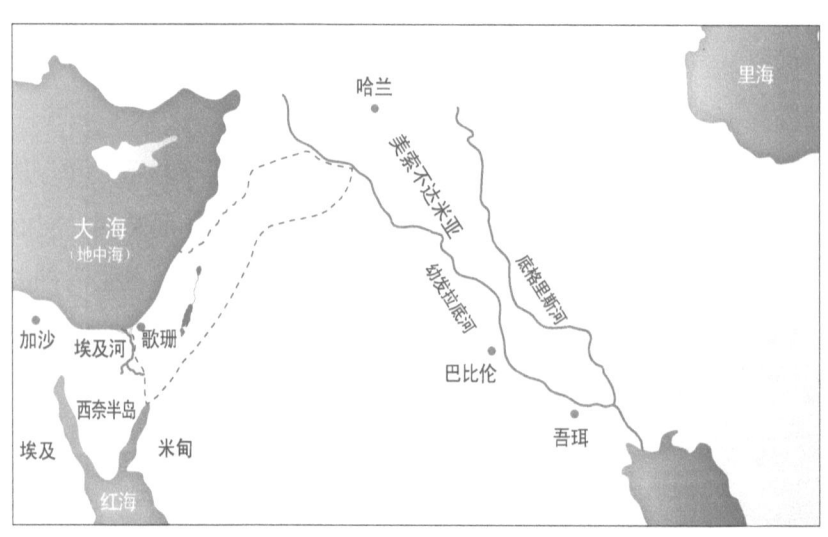

神应许亚伯拉罕之美地疆域版图

经过加沙以南，流向地中海的埃及河为以色列南部疆界（约书亚记15章4节；列王纪上8章65节），美索不达米亚文明的发祥地幼发拉底河为以色列北部疆界（申命记1章7节；11章24节；约书亚记1章4节）。

神指示亚伯拉罕应许之地的疆界，接着罗列当地十个原始种族，表示拥有此地须要经过征伐，而且要信靠神的约言。这应许之地乃是流奶与蜜之地。

"对他们说，主耶和华如此说：
当日我拣选以色列，向雅各家的后裔起誓，
在埃及地将自己向他们显现，
说：我是耶和华你们的神。
那日我向他们起誓，
必领他们出埃及地，
到我为他们察看的流奶与蜜之地，
那地在万国中是有荣耀的。"（以西结书20章5、6节）

摩西领民出埃及；约书亚率众征服迦南

出离埃及的以色列民得进流奶与蜜之地迦南之前安营在摩押平原时，神再次将迦南地的疆界晓谕他们的领袖摩西。

"南角要从寻的旷野，贴着以东的边界；
南界要从盐海东头起，绕到亚克拉滨坡的南边，
……从押们转到埃及小河，直通到海为止。
西边要以大海为界，这就是你们的西界。
北界要从大海起，划到何珥山；
……你们要从哈萨以难划到示番为东界。
……这界要下到约旦河，通到盐海为止，
这四围的边界以内，要作你们的地。"（民数记34章3-12节）

这是要鼓足他们征服迦南的确信与勇气，并要显明祂立自己的选民以色列为全地的中心（申命记26章19节；32章8节）。

摩西的接班人约书亚领以色列民进入迦南地时，所占领的疆域虽不及"从埃及河直到幼发拉底大河之地"，但规模相当（约书亚书18章1节）。

他们通过拈阄分配地业，规定各支派的住地（地图1），与雅各的遗嘱（创世记49章1-28节）几乎一致。尤其照雅各的祝福，以法莲和玛拿西支派，分得了迦南地的中心地带，土壤肥沃，出产丰富。

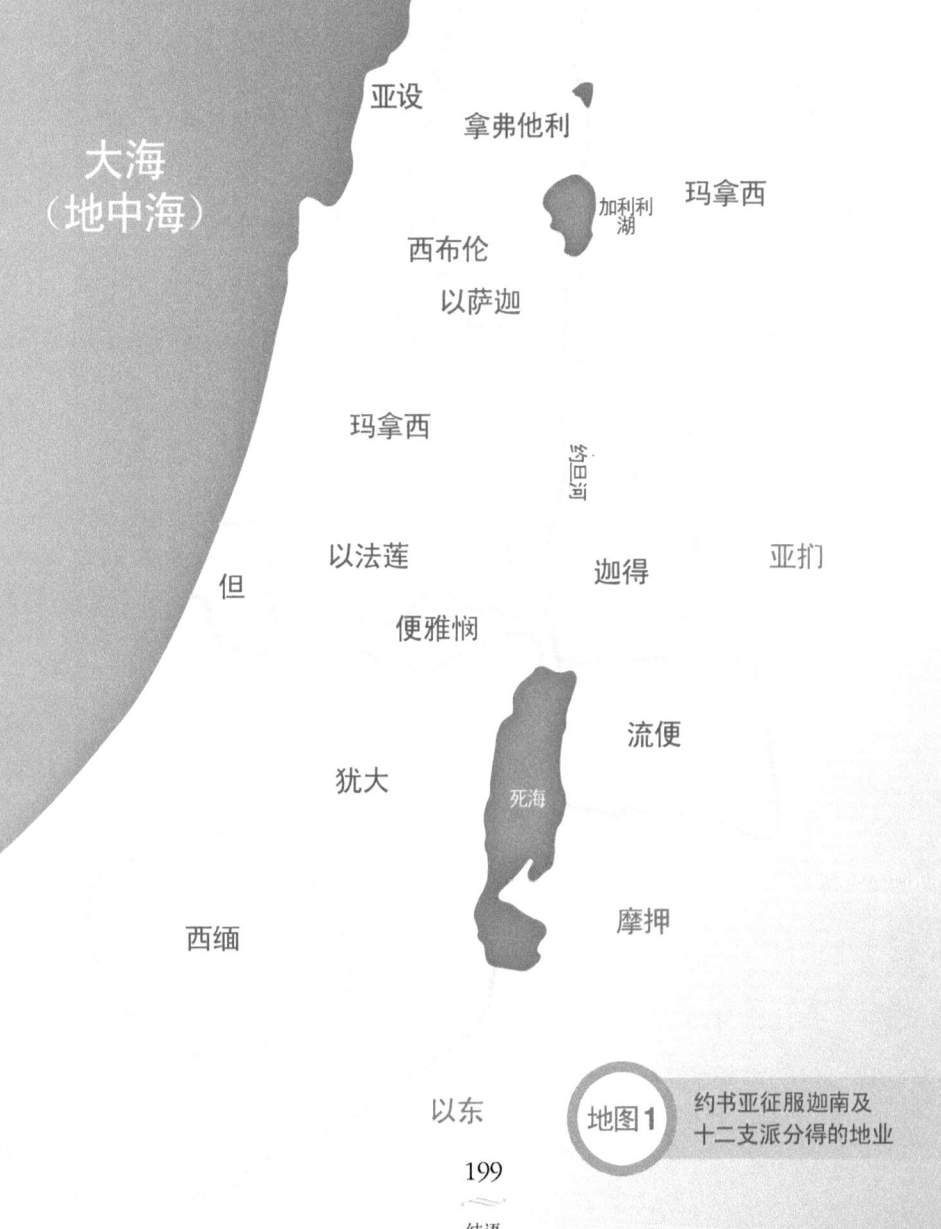

地图1 约书亚征服迦南及十二支派分得的地业

大卫统一王国的建立与领土扩张

以色列第一任君王扫罗死后,大卫蒙犹大支派的拥戴,受膏为王(撒母耳记下2章4节),七年后,大卫收复扫罗之子伊施波设为王的北方支派,成为以色列全支派的君主(撒母耳记下5章1-5节)。

统一王国渐趋稳固,大卫举兵征讨治服周边诸国(撒母耳记下8章1-8节),领土扩张至叙利亚和幼发拉底河流域。战利甚多,进贡甚丰,很快就发展成强盛国度。

"此后,大卫攻打非利士人,把他们治服,
从他们手下夺取了迦特和属迦特的村庄。
又攻打摩押,摩押人就归服大卫,给他进贡。
琐巴王哈大利谢(撒母耳记下8章3节作"哈大底谢")
往幼发拉底河去,要坚定自己的国权,
大卫就攻打他,直到哈马,
……亚兰人就归服他,给他进贡。
大卫无论往哪里去,耶和华都使他得胜。"
(历代志上18章1-6节)

经过数次征伐,大卫王国之国土面积,较之征服迦南时期约有三倍的增长(地图2)。这是神与亚伯拉罕所立之约的实现。

地图 2　约书亚时代和大卫王国时期疆域版图对比

所罗门时代成全神的约言

所罗门继承父亲大卫治理统一王国,凭借强盛的国力,不消耗一点兵力,将广大地域纳入版图进行统治(地图3)。这是神早先向以色列人所立之福约的兑现,借由大卫和所罗门所完成。

"所罗门统管诸王,从大河到非利士地直到埃及的边界。"
(历代志下9章26节)

神向亚伯拉罕(亚伯兰)所立火把之约即"赐迦南地与子孙后代"这一约言,到了所罗门朝代(主前970-930年)得以全然成就(列王纪上4章25节;历代志下9章26节),与原初立约之时相隔一千一百年。创世记第17章所记,神向亚伯拉罕所说的约言,也在以色列历史上实现,证明上帝是活神,信实守约的神。

"我必使你的后裔极其繁多,
国度从你而立,君王从你而出。
我要与你并你世世代代的后裔坚立我的约,
作永远的约,是要作你和你后裔的神。
我要将你现在寄居的地,就是迦南全地,赐给你和你的后裔,
永远为业。我也必作他们的神。"(创世记17章6-8节)

神约言的通道-约瑟
Joseph, A Passage to God's Covenant

在未获得乌陵出版社书面许可的情况下，不得对本书的内容进行制本、复印、电子传送等。

本书所引圣经经文取自《现代标点和合本》

作　者：李载禄
编　辑：宾锦善
设　计：乌陵出版社设计组
发　行：乌陵出版社（发行人：宾圣男）
印　刷：Prione
出版日期：2016年10月初版（韩国，乌陵出版社，韩国语）
　　　　　2019年 3月初版（韩国，乌陵出版社）

Copyright © 2016 李载禄博士
ISBN 979-11-263-0469-1 04230
ISBN 979-11-263-0406-6 (set)
Translation Copyright © 2019 郑求英博士

问　讯　处：乌陵出版社
电　　　话：82-2-837-7632 / 82-70-8240-2072
传　　　真：82-2-869-1537

"乌陵"是旧约时代大祭司为了求问神的旨意放在决断胸牌里使用的器物之一，希伯来语意为"光"（出28:30）

www.ingramcontent.com/pod-product-compliance
Lightning Source LLC
LaVergne TN
LVHW041803060526
838201LV00046B/1111